读经典 学养生

BEI JI QIAN JIN YAO FANG

备急千金要方

唐 孙思邈 著

主编 林燕 陈子杰

中国医药科技出版社

内容提要

本书节选了唐代孙思邈所著《备急千金要方》中涉及养生的“食治”和“养性”两卷。阐释了从关乎饮食物品类及禁忌的“食治”之法，到涉及居处、按摩、调气等方面的“养性”之法，文中配有注解，方便现代读者阅读中医养生经典，品悟与借鉴古代养生方法。

图书在版编目（CIP）数据

备急千金要方 /（唐）孙思邈著；林燕，陈子杰主编. — 北京：中国医药科技出版社，2017.7

（读经典　学养生）

ISBN 978-7-5067-9239-4

Ⅰ. ①备…　Ⅱ. ①孙…　②林…　③陈…　Ⅲ. ①《千金方》　Ⅳ. ①R289.3

中国版本图书馆CIP数据核字(2017)第082098号

备急千金要方

美术编辑　陈君杞
版式设计　大隐设计

出版　中国医药科技出版社
地址　北京市海淀区文慧园北路甲 22 号
邮编　100082
电话　发行：010-62227427　邮购：010-62236938
网址　www.cmstp.com
规格　787 × 1092mm $^{1}/_{32}$
印张　6 $^{3}/_{4}$
字数　81 千字
版次　2017 年 7 月第 1 版
印次　2017 年 7 月第 1 次印刷
印刷　北京九天众诚印刷有限公司
经销　全国各地新华书店
书号　ISBN 978-7-5067-9239-4
定价　16.00 元

丛书编委会

本书编委会

主　编

林　燕　陈子杰

副主编

李　建　王红彬

编委

李文静　常孟然　赵程博文　马淑芳

出版者的话

中医养生学有着悠久的历史和丰富的内涵，是中华优秀文化的重要组成部分。随着人们物质文化生活水平的不断提高，广大民众越来越重视健康，越来越希望从中医养生文化中汲取对现实有帮助的营养。但中医学知识浩如烟海、博大精深，普通民众不知从何入手。为推广普及中医养生文化，系统挖掘整理中医养生典籍，我社精心策划了这套“读经典 学养生”丛书，从浩瀚的中医古籍中撷取20种有代表性、有影响、有价值的精品，希望能满足广大读者对养生、保健、益寿方面知识的需求和渴望。

为保证丛书质量，本次整理突出了以下特点：①力求原文准确，每种古籍均遴选精善底本，加以严谨校勘，为读者提供准确的原文；②每本书都撰写编写说明，介绍原著作者情况，该书主要内容、阅读价值及其版本情况；③正文按段落注释疑难字词、中医术语和各种文化常识，便于现代读者阅读理解；④每本书都配有精美插图，让读者在愉悦的审美体验中品读中医养生文化。

需要提醒广大读者的是，对古代养生著作中的内容我们也要有去粗取精、去伪存真的辩证认识。“读经典 学养生”丛书涉及大量的调养方剂和食疗方，其主要体现的是作者在当时历史条件下的养生方法，而中医讲究辨证论治、因人而异，因此，读者切不可盲目照搬，一定要咨询医生针对个体情况进行调养。

中医养生文化博大精深，中国医药科技出版社作为中央级专业出版社，愿以丰富的出版资源为普及中医药文化、提高民众健康素养尽一份社会责任，在此过程中，我们也期待读者诸君的帮助和指点。

中国医药科技出版社

2017年3月

总序

养生（又称摄生、道生）一词最早见于《庄子》内篇。所谓生，就是生命、生存、生长之意；所谓养，即保养、调养、培养、补养、护养之意。养生就是根据生命发展的规律，通过养精神、调饮食、练形体、慎房事、适寒温等方法颐养身心、增强体质、预防疾病、保养身体，以达到延年益寿的目的。纵观历史，有很多养生经典著作及专论对于今天学习并普及中医养生知识，提升人民生活质量有着重要作用，值得进一步推广。

中医养生，源远流长，如成书于西汉中后期我国现存最早的医学典籍《黄帝内经》，把养生的理论和方法叫作“养生之道”。又如《素问·上古天真论》云：“上古之人，其知道者，法于阴阳，和于术数，食饮有节，起居有常，不妄作劳，故能形与神俱，而尽终其天年，度百岁乃去。”此处的“道”，就是养生之道。

需要强调的是，能否健康长寿，不仅在于能否懂得养生之道，更为重要的是能否把养生之道贯彻应用到日常生活中去。

此后，历代养生家根据各自的实践，对于“养生之道”都有着深刻的体会，如唐代孙思邈精通道、佛之学，广集医、道、儒、佛诸家养生之说，并结合自己多年丰富的实践经验，在《千金要方》《千金翼方》两书中记载了大量的养生内容，其中既有“道林养性”“房中补益”“食养”等道家养生之说，也有“天竺国按摩法”等佛家养生功法。这些不仅丰富了养生内容，也使得诸家传统养生法得以流传于世，在我国养生发展史上，具有承前启后的作用。

宋金元时期，中医养生理论和养生方法日益丰富发展，出现了众多的养生专著，如宋代陈直撰《养老奉亲书》，元代邹铉在此书的基础上继增三卷，更名为《寿亲养老新书》，其特别强调了老年人的起居护理，指出老年之人，体力衰弱，动作多有不便，故对其起居作息、行动坐卧，都须合理安排，应当处处为老人提供便利条件，细心护养。在药物调治方面，老年人气色已衰，精神减耗，所以不能像对待年轻人那样施用峻猛方药。其他诸如周守忠的《养生类纂》、李鹏飞的《三元参赞延寿书》、王珪的《泰定养生主论》等，也均为养生学的发展做出了不同程度的贡献。

明清之际，先后出现了很多著名养生学家和专著，进一步丰富和完善了中医养生学的内容，如明代高濂的《遵生八笺》从气功角度提出了养心坐功法、养肝坐功法、养脾坐功法、养肺坐功法、养肾坐功法，又对心神调养、四时调摄、起居安乐、饮馔服食及药物保健等方面做了详细论述，极大丰富了调养五脏学说。清代尤乘在总结前人经验的基础上编著《寿世青编》一书，在调神、饮食、保精等方面提出了养心说、养肝说、养脾说、养肺说、养肾说，为五脏调养的完善做出了一定贡献。在这一时期，中医养生保健专著的撰辑和出版是养生学史的鼎盛时期，全面地发展了养生方法，使其更加具体实用。

综上所述，在中医理论指导下，先哲们的养生之道在静神、动形、固精、调气、食养及药饵等方面各有侧重，各有所长，从不同角度阐述了养生理论和方法，丰富了养生学的内容，强调形神共养、协调阴阳、顺应自然、饮食调养、谨慎起居、和调脏腑、通畅经络、节欲保精、益气调息、动静适宜等，使养生活动有章可循、有法可依。例如，饮食养生强调食养、食节、食忌、食禁等；药物保健则注意药养、药治、药忌、药禁等；传统的运动养生更是功种繁多，如动功有太极拳、八段锦、易筋经、五禽戏、保健功等，静功有放松功、内养功、强壮功、意气功、真气运行法等，动静结合功有空劲功、形神桩等。无论选学哪种功法，只要练功得法，持之以恒，都可收到健身防病、益寿延年之效。针灸、按摩、推拿、拔火罐等，也都方便易行，效果显著。诸如此类的方法不仅深受我国人民喜爱，而且远传世界各地，为全人类的保健事业做出了应有的贡献。

本套丛书选取了中医药学发展史上著名的养生专论或专著，加以句读和注解，其中节选的有《黄帝内经》《备急千金要方》《千金翼方》《闲情偶寄》《遵生八笺》《福寿丹书》，全选的有《摄生消息论》《修龄要指》《摄生三要》《老老恒言》《寿亲养老新书》《养生类要》《养生类纂》《养生秘旨》《养性延命录》《饮食须知》《寿世青编》《养生三要》《寿世传真》《食疗本草》。可以说，以上这些著作基本覆盖了中医养生学的内容，通过阅读，读者可以在品味古人养生精华的同时，培养适合自己的养生理念与方法。

当然，由于这些古代著作成书年代所限，其中难免有些糟粕或者不合时宜之处，还望读者甄别并正确对待。

翟双庆

2017 年 3 月

编写说明

《备急千金要方》，简称为《千金方》，被誉为中国最早的临床百科全书。此书乃唐代孙思邈（581 ～ 682 年）所著，约成书于公元652 年，共 30 卷。《道藏》收入时析为 93 卷。孙氏以为“人命至重，有贵千金，一方济之，德逾于此”，故以“千金”命名。该书对后世医学影响深远，版本众多，有北宋校订本、宋代坊刻本、唐宋抄本及道藏本等版本系统。中、日翻刻影印者达 30 余次，又有刻石本、节选本、改编本、《道藏》本等刻印者亦数十种。

该书内容翔实丰富，医药卫生、道德人伦无所不包。其中对防病治病、养生保健等方面论述精辟，有许多独到之处。

本书主要节选《备急千金要方》中养生部分，即卷第二十六和卷第二十七。这两卷分别从“食治”和“养性”两方面对养生进行了探讨。卷第二十六“食治”将食物分为果实、菜蔬、谷米和鸟兽四大类，分别叙述了与各个季节相适应的饮食品类，并提出了食物的搭配禁忌。卷第二十七“养性”则从道林养性、居处法、按摩法、调气法、服食法、黄帝杂忌法和房中补益等七个方面描述出一套系统的养性方法。

编者

2017 年 1 月

目录

食治

养性

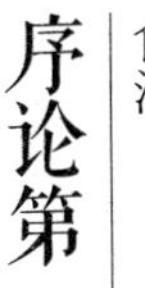

食治 序论第一

仲景曰：人体平和，惟须好将养，勿妄服药。药势偏有所助，令人藏气不平，易受外患。夫含气[①]之类，未有不资食以存生，而不知食之有成败，百姓日用而不知，水火至近而难识。余慨其如此。聊[②]因笔墨之暇，撰[③]五味损益食治篇，以启童稚，庶[④]勤而行之，有如影响[⑤]耳。

注

①含气：有生命、有呼吸的东西，代指人类或其他动物。

②聊：姑且。

③撰：写作，著书。

④庶：表示希望发生或出现某事，进行推测；但愿，或许。

⑤影响：如影之随形，音之随形。这里形容应验迅速。

河东卫汛[①]记曰：扁鹊云：人之所依者，形也；乱于和气者，病也；理于烦毒者，药也；济命抚危者，医也。安身之本，必资于食；救疾之速[②]，必凭于药。不知食宜者，不足以存生也；不明药忌者，不能以除病也。斯之二事，有灵[③]之所要也；若忽而不学，诚可悲夫。是故食能排邪而安脏腑，悦神爽志，以资[④]血气。若能用食平疴[⑤]，释情遣疾者，可谓良工。长年饵老之奇法，极养生之术也。

①河东卫汛：河东，地名。秦汉时置河东郡，治所在安邑县。卫汛，东汉末医家，仲景弟子，撰有《小儿颅囟经》等，今佚。

②速：《医心方》卷一第三引作“要”，表示长的意思。

③有灵：指具有灵性的人类。《列子·杨朱》记载：“有生之灵者，人也。”

④资：供给，帮助。
⑤疴：病。

夫为医者，当须先洞晓病源，知其所犯，以食治之；食疗不愈，然后命药[①]。药性刚烈，犹若御兵[②]；兵之猛暴，岂容妄发[③]？发用乖宜，损伤处众。药之投疾，殃[④]滥亦然。高平王熙称食不欲杂，杂则或有所犯；有所犯者，或有所伤；或当时虽无灾苦，积久为人作患。又食啖[⑤]鲑肴，务令简少。鱼肉、果实，取益人者而食之。

①命药：用药。
②御兵：统帅士兵。
③妄发：胡乱动用。
④殃：损害。
⑤啖：音dàn，吃。

凡常饮食，每令节俭，若贪味多餐，临盘大饱，食讫，觉腹中彭亨[①]短气，或致暴疾，仍为霍乱。又夏至以后，迄至秋分，必须慎肥腻、饼臛[2]、酥油之属，此物与酒浆瓜果理极相妨[3]。夫在身所以多疾者，皆由春夏取冷太过，饮食不节故也。又鱼鲙诸腥冷之物，多损于人，断之益善。乳酪酥等常食之，令人有筋力，胆干[4]，肌体润泽。卒多食之，亦令胪胀[5]泄利，渐渐自已[6]。

①彭亨：尤言"膨胀"，腹胀满貌。
②臛：音 huò，肉羹。
③相妨：相互妨碍，相互损害。
④干：强悍。
⑤胪胀：病名，指腹胀。
⑥自已：孙真人本作"害己"。

黄帝曰：五味入于口也，各有所走，各有所病。酸走筋，多食酸令人癃，不知何以然[1]？少俞[2]曰：酸入胃也，其气涩以收也[3]。上走两焦，两焦之气涩不能出入，不出即流于胃中，胃中和温，即下注膀胱，膀胱走胞，胞薄以软，得酸则缩卷，约[4]而不通，水道不利，故癃[5]也。阴者，积一作精筋之所终聚也。故酸入胃，走于筋也。

①不知何以然：《灵枢·五味》作“余知其然也，不知其何由”，不知道什么原因。

②少俞：传说中的上古名医，黄帝之臣，精于医药，尤擅针灸。

③涩以收也：中医学认为酸涩的药物有收敛的作用。

④约：此处指受阻碍。

⑤癃：中医学指小便不通或淋沥点滴而出。

咸走血，多食咸，令人渴，何也？答曰：咸入胃也，其气走中焦[1]，注于诸脉[2]。脉者，血之所走也，与咸相得，即血凝，凝则胃中汁泣[3]，汁泣则胃中干渴《甲乙》云：凝则胃中汁注之，注之则胃中竭。渴则咽路[4]焦，焦故舌干喜渴。血脉者，中焦之道也，故咸入胃，走于血。皇甫士安云：肾合三焦，血脉虽属肝心而为中焦之道，故咸入而走血也。

注

①中焦：三焦之一。三焦的中部，指上腹部分。它的主要功用是助脾胃，主腐熟水谷，泌糟粕，蒸津液，化精微，是血液营养生化的来源。

②诸脉：全身血脉的总称。

③泣：通“涩”。《六书故·地理三》说：“泣……又与涩通。”

④咽路：食管。

辛走气，多食辛，令人愠[1]，何也？答曰：辛入胃也，其气走于上焦[2]，上焦者受使诸气，而荣[3]诸阳者也。姜韭之气，熏至荣卫，荣卫不时受之，却溜于心下，故愠。愠，痛也。辛者与气俱行，故辛入胃而走[4]气，与气[5]俱出，故气盛也。

注

①愠：音 yǔn，郁闷不舒的样子。《集韵·迄韵》：“愠，心所郁积也。”

②上焦：三焦的上部，从咽喉至胸膈部分。其主要功能是输布水谷精气至全身，以温养肌肤、骨节，通调腠理。

③荣：滋养，滋润。

④走：运行。

⑤气：《灵枢·五味》作“汗”。

苦走[1]骨，多食苦，令人变[2]呕，何也？答曰：苦入胃也，其气燥而涌泄，五谷之气皆不胜苦。苦入下脘[3]，下脘者三焦[4]之道，皆闭则不通，不通故气变呕也。齿者骨之所终也，故苦入胃而走骨，入而复出，齿必黧疏[5]。皇甫士安云：水火相济，故骨气通于心。

①走：进入。

②变：经常。

③下脘：指胃腔下口幽门部。

④三焦：为六腑之一，是上、中、下三焦的合称。

⑤齿必黧疏：牙齿必定黄黑疏松。《灵枢·五味》作“知其走骨也”，《甲乙经》卷六第九无“齿”字，“必黧疏”下有“是知其走骨也”六字。黧，黑黄色。《广韵·齐韵》：“黧，黑而黄也。”

甘走肉，多食甘，令人恶心，何也？答曰：甘入胃也，甘气弱劣，不能上进于上焦，而与谷俱留于胃中，甘入则柔缓，柔缓则蛔[1]动，蛔动则令人恶心。其气外通于肉，故甘走肉，则肉多粟起而胝[2]。皇甫士安云：其气外通于皮，故曰甘入走皮矣。皮者肉之盖，皮虽属肺，与肉连体，故甘润肌肉，并于皮也。

注

①蛔：《灵枢·五味论》《太素》卷二《调食》并作"虫"，蛔虫。

②胝（zhī）：俗称老茧。

黄帝问曰：谷之五味所主，可得闻乎？伯高对曰：夫食风者[1]，则有灵而轻举；食气者[2]，则和静而延寿；食谷者[3]，则有智而劳神；食草者[4]，则愚痴而多力；食肉者[5]，则勇猛而多嗔。是以肝木青色，宜酸；心火赤色，宜苦；脾土黄色，宜甘；肺金白色，宜辛；肾水黑色，宜咸。内为五脏，外主五行，色配五方。

注

①食风者：指飞禽类。

②食气者：指乌龟等爬行类。

③食谷者：指人类。
④食草者：指牛马等食草兽类。
⑤食肉者：指食肉猛兽类。

五脏所合法：

肝合筋[①]，其荣爪[②]；心合脉[③]，其荣色[④]；脾合肉，其荣唇；肺合皮，其荣毛[⑤]；肾合骨，其荣发。

①肝合筋：筋膜有赖肝之精气濡养，肝之气血充足则筋力强健，肢体关节屈伸有力而灵活；肝之气血亏虚则筋力衰惫，肢体关节屈伸困难。
②其荣爪：精华反映在指甲和趾甲上。
③脉：血脉。
④色：面部。
⑤毛：全身的毛发。

五脏不可食忌法：

多食酸[①]则皮槁而毛夭，多食苦[②]则筋急而爪枯，多食甘则骨痛而发落，多食辛[③]则肉胝而唇褰[④]，多食咸则脉凝泣[⑤]而色变。

五脏所宜食法：

肝病，则食麻、犬肉、李、韭；心病，宜食麦、羊肉、杏、薤；脾病，宜食稗米⑥、牛肉、枣、葵；肺病，宜食黄黍、鸡肉、桃、葱；肾病，宜食大豆黄卷、豕肉、栗、藿。《素问》云：肝色青，宜食甘，粳米、牛肉、枣、葵皆甘；心色赤，宜食酸，小豆、犬肉、李、韭皆酸；肺色白，宜食苦，麦、羊肉、杏、薤皆苦；脾色黄，宜食咸，大豆、豕肉、栗、藿皆咸；肾色黑，宜食辛，黄黍、鸡肉、桃、葱皆辛。

注

①酸：《素问·五脏生成》作“苦”。

②苦：《素问·五脏生成》作“辛”。

③辛：《素问·五脏生成》作“酸”。

④褰：音 qiān，紧缩。《素问·五脏生成》作“揭”。

⑤凝泣：音 sè，凝滞而不通畅。泣，通“涩”。

⑥稗米：《灵枢·五味》作“秔米饭”。“稗”疑为“粳”之讹，《灵枢》“秔米”即“粳米”。明宋应星《天工开物·稻》：“凡稻种最多。不黏者，禾曰秔，米曰粳。”

五味动病法：

酸走筋，筋病勿食酸；苦走骨，骨病勿多食苦；甘走肉，肉病勿食甘；辛走气，气病勿食辛；咸走血，血病勿食咸。

五味所配法：

米饭甘[1]《素问》云：粳米甘、麻酸《素问》云：小豆酸、大豆咸、麦[2]苦、黄黍辛；枣甘[3]、李酸、栗咸、杏苦、桃辛；牛甘[4]、犬酸、豕咸、羊苦、鸡辛；葵甘、韭酸、藿[5]咸、薤苦、葱辛。

①米饭甘：《灵枢·五味》作“秫米甘”。按此下为“五谷”。

②麦：《甲乙经》卷六第九作“小麦”。

③枣甘：以下为“五果”。

④牛甘：以下为“五畜”。

⑤藿：豆叶。《广雅·释草》：“豆角谓之荚，其叶为之藿。”

五脏病五味对治法：

肝苦[1]急，急食甘以缓之；肝欲散，急食辛以散之；用酸泻之，禁当[2]风。心苦缓，急食酸以收之；心欲软，急食咸以软之；用甘泻之，禁温食厚衣。脾苦湿，急食苦以燥之；脾欲缓，急食甘以缓之，用苦泻之。禁温食饱食、湿地濡衣。肺苦气上逆息者[3]，急食苦以泄之；肺欲收，急食酸以收之；用辛泻之，禁无[4]寒饮食寒衣。

注

①苦：为某种事所苦。
②当：接触。
③息者：《素问·脏气法时论》无"息者"二字。
④无：《素问·脏气法时论》无"无"字。

肾苦燥，急食辛以润之，开腠理，润致津液，通气也[1]；肾欲坚，急食苦以结[2]之，用咸泻之。无犯焠㶼，无热衣温食。是以毒药攻邪[3]，五谷为养，五肉为益，五果为助，五菜为充。精以食气，气养精以荣色[4]，形以食味，味养形以生力。此之谓也。

注

①开腠理，润致津液，通气也：《素问·脏气法时

论》："致津液"上无"润"字。

②结：《素问·脏气法时论》作"坚"。

③攻邪：祛除邪气。

④荣色：使人的气色变好。

神藏有五，五五二十五种形；形藏有四，四方、四时、四季、四肢。共为五九四十五。以此辅神，可长生久视也。精顺五气[①]以为灵也，若食气相恶[②]，则伤精也；形受味以成也，若食味不调，则损形也。是以圣人先用食禁[③]以存性，后制药以防[④]命也，故形不足者温之以气，精不足者补之以味。气味温补，以存形精。

①五气：酸、苦、甘、辛、咸。

②相恶：相互妨碍，相互抵触。

③食禁：限制饮食。

④防：保护，守卫。

岐伯云：阳为气[①]，阴为味[②]；味归形，形归气；气归精，精归化；精食气，形食味；化生精，气生形；味伤形，气伤精；精化为气，气伤于味；阴味出下窍[③]，阳气出上窍[④]。味厚者为阴，味薄者为阴之阳；气厚者为阳，气薄者为阳之阴。味厚则泄，薄则通流；气薄则发泄，厚则秘塞《素问》作发热。

注

①气：指寒、热、温、凉之气。

②味：指酸、苦、甘、辛、咸五味。

③下窍：指前阴尿道（一说包括精窍）与后阴肛门。

④上窍：指头面部的孔窍。

壮火之气衰[①]，少火之气壮[②]；壮火食气[③]，气食少火[④]。壮火散气，少火生气。味辛甘发散为阳，酸苦涌泄为阴。阴胜则阳病，阳盛则阴病。阴阳调和，人则平安。春七十二日省酸增甘，以养脾气；夏七十二日省苦增辛，以养肺气；秋七十二日省辛增酸，以养肝气；冬七十二日省咸增苦，以养心气；季月各十八日省甘增咸，以养肾气。

注

①壮火之气衰：亢阳会促使元气衰弱。壮火，亢阳。

②少火之气壮：微阳都能使元气旺盛。少火，微阳。

③壮火食气：亢阳会消耗元气。“食”，同“蚀”，侵蚀，消耗。

④气食少火：元气赖于微阳的煦养。食，音sì，同“饲”，供养。

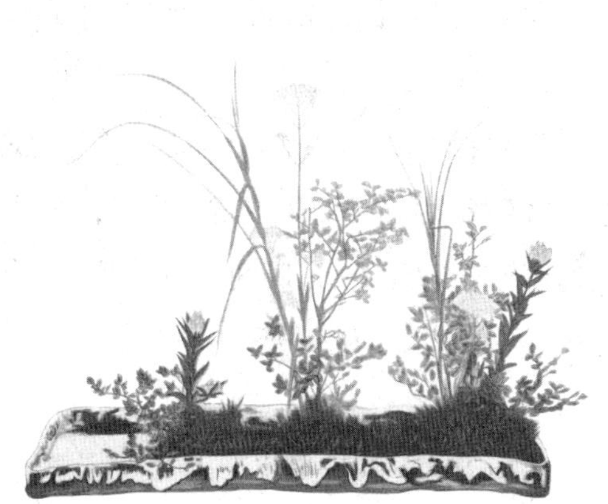

食治
果实第二
（二十九条）

槟榔： 味辛，温，涩，无毒。消谷逐水，除淡澼，杀三虫[①]，去伏尸，治寸白。

豆蔻： 味辛，温，涩，无毒。温中，主心腹痛，止吐呕；去口气臭。

蒲桃[②]： 味甘、辛，平，无毒。主筋骨湿痹[③]；益气，倍力，强志，令人肥健，耐饥，忍风寒；久食轻身不老，延年。治肠间水，调中[④]。可作酒，常饮益人。逐水，利小便。

注

①三虫：即长虫、赤虫、蛲虫。见于《病源》卷十八《三

虫候》："三虫者，长虫、赤虫、蛲虫也。"

②蒲桃：即葡萄。

③湿痹：一种以肢体关节重着、肿胀、痛有定处、活动不便，肌肤麻木不仁等为主要表现症状的病症。

④调中：调和中焦阻塞。

覆盆子：味甘、辛，平，无毒。益气轻身，令发不白。

大枣：味甘、辛，热，滑，无毒。主心腹邪气，安中养脾气，助十二经，平胃气；通九窍；补少气，津液、身中不足，大惊、四肢重；可和百药，补中益气，强志；除烦闷，心下悬；治肠澼[1]。久服轻身，长年不饥，神仙。

①肠澼：指以腹痛、里急后重、下痢赤白脓血为特征的病症。

生枣：味甘、辛。多食令人热渴气胀[1]。苦寒热羸瘦者，弥不可食，伤人。

藕实：味苦、甘，寒，无毒。食之令人心

欢，止渴去热，补中养神，益气力，除百病。久服轻身耐老[2]，不饥延年。一名水芝。生根寒，止热渴，破留血。

注

①气胀：肠道内存在大量气体的状态。

②耐老：延缓衰老。

鸡头实：味甘，平，无毒。主湿痹，腰脊膝痛；补中，除暴疾[1]，益精气，强志意，耳目聪明；久服轻身[2]，不饥，耐老，神仙。

芰实：味甘、辛，平，无毒。安中，补五脏，不饥，轻身。一名菱。黄帝云：七月勿食生菱芰，作蛲虫[3]。

①暴疾：突然发病。

②轻身：使身体轻盈。

③蛲虫：蠕形住肠线虫，外形恰似一条白线，长度大约 2 厘米。

栗子：味咸，温，无毒。益气，厚[①]肠胃，补肾气，令人耐饥。生食之，甚治腰脚不遂。

樱桃：味甘，平，涩。调中益气，可多食，令人好颜色[②]，美志性。

注

①厚：补益。

②颜色：脸上的色泽。

橘柚：味辛，温，无毒。主胸中瘕满逆气，利水谷，下气，止呕咳，除膀胱留热停水，破五淋，利小便，治脾不能消谷，却[①]胸中吐逆霍乱，止泻利，去寸白，久服去口臭，下气通神，轻身长年。一名橘皮，陈久者良。

注

①却：《千金翼方》卷三《木部上品》作“气冲”二字。

津符子：味苦，平，滑。多食令人口爽[①]，不知五味。

梅实：味酸，平，涩，无毒。下气除热烦满，安心；止肢体痛，偏枯不仁，死肌；去青黑痣，恶疾；止下利，好唾口干；利筋脉。多食坏人齿。

注

①口爽：口味伤坏。《广雅·释诂四》：“爽，伤也。”又“爽，败也。”

柿：味甘，寒，涩，无毒。通鼻耳气，主肠澼不足及火疮[①]、金疮；止痛。

木瓜实：味酸、咸，温，涩，无毒。主湿痹气，霍乱大吐下后脚转筋[②]不止。其生树皮无毒，亦可煮用。

①疮：皮肤上肿烂溃疡的病。

②转筋：多指腓肠肌挛急。

榧实：味甘，平，涩，无毒。主五痔[①]，去三虫，杀蛊毒[②]、鬼疰[③]、恶毒。

甘蔗：味甘，平，涩，无毒。下气和中，补脾气，利大肠，止渴去烦，解酒毒。

①五痔：中医病名，肛门痔五种类型之合称。

②蛊毒：以神秘方式配制的巫化了的毒物。

③鬼疰：即流窜无定随处可生的多发性深部脓疡。

软枣：味苦，冷，涩，无毒。多食动宿病[①]，益冷气，发咳嗽。

芋：味辛，平，滑，有毒[②]。宽肠胃，充肌肤，滑中[③]。一名土芝。不可多食，动宿冷。

①宿病：旧病。

②有毒：孙真人本作“无毒”。

③滑中：使肠胃通畅。

乌芋：味苦、甘，微寒，滑，无毒。主消渴瘅热；益气。一名藉姑，一名水萍，三月采。

杏核仁：味甘、苦，温，冷而利，有毒。主咳逆上气，肠中雷鸣，喉痹[①]，下气；产乳金疮，寒心奔豚[②]，惊痫，心下烦热；风气去来，时行头痛，解肌，消心下急；杀狗毒。五月采之，其一核两仁者害人，宜去之。杏实尚生，味极酸，其中核犹未硬者，采之曝干食之，甚止渴，去冷热毒。扁鹊云：杏仁不可久服，令人目盲，眉发落，动一切宿病。

①喉痹：喉头发炎。

②奔豚：发作性下腹气上冲胸，直达咽喉，腹部绞痛，胸闷气急，头昏目眩，心悸易凉，烦躁不安，发作过后如常。

桃核仁：味苦、甘、辛，平，无毒。破瘀血、血闭瘕，邪气，杀小虫，治咳逆上气，消心下硬[①]，除卒暴声血，破癥瘕[②]，通月水，止心痛。七月采，凡一切果核中有两仁者并害人，不在用。其实味酸，无毒，多食令人有热。黄帝云：

饱食桃入水浴，成淋病[3]。

①心下硬：中医学指膈下胃脘的部位痞满发硬。

②癥瘕：腹中结块。

③淋病：以小便频数量少、尿道灼热疼痛、排出不畅，或小腹拘急、痛引腰腹为主要表现的病症。

李核仁：味苦，平，无毒。主僵仆跻[1]，瘀血骨痛。实：味苦、酸，微温，涩，无毒。除固热，调中，宜心，不可多食，令人虚。黄帝云：李子不可和白蜜食，蚀人五内[2]。

①跻：跌蹶。

②五内：五脏。

梨：味甘、微酸，寒，涩，有[①]毒。除客热气，止心烦。不可多食，令人寒中。金疮、产妇勿食，令人萎困、寒中。

林檎：味酸、苦，平，涩，无毒。止渴、好唾。不可多食，令人百脉弱。

柰子：味酸、苦，寒，涩，无毒。耐饥，益心气。不可多食，令人胪胀。久病人食之，病尤甚。

注

①有：山田业广曰："《别录》'有'作'无'。"

安石榴：味甘、酸，涩，无毒。止咽燥渴，不可多食，损人肺。

枇杷叶：味苦，平，无毒。主啘不止，下气。正尔[①]削取生树皮嚼之，少少咽汁，亦可煮汁冷服之，大佳。

胡桃：味甘，冷，滑，无毒。不可多食，动痰饮[②]。令人恶心，吐水，吐食。

①正尔：直接，不加工的。孙真人本作“不尔”，非是。

②痰饮：指体内水液不得输化，停留或渗注于体内某一部位而发生的病症。

食治

菜蔬第三

（五十条）

枸杞叶：味苦，平，涩，无毒。补虚羸，益精髓。谚云：去家千里，勿食萝摩、枸杞。此则言强阳道、资阴气速疾也。

萝摩：味甘，平。一名苦丸。无毒。其叶厚大，作藤，生摘之，有白汁出。人家多种，亦可生啖，亦可蒸煮食之。补益与枸杞叶同。

瓜子：味甘，平，寒，无毒。令人光泽，好颜色，益气，不饥，久服轻身耐老；又除胸满①心不乐；久食寒中。可作面脂。一名水芝，一名白瓜子，即冬瓜仁也。八月采。

注

①胸满：胸部胀满不适。

白冬瓜：味甘，微寒，无毒。除小腹水胀，利小便，止消渴。

凡瓜[①]**：**味甘，寒，滑，无毒。去渴，多食令阴下痒湿生疮，发黄疸。黄帝云：九月勿食被霜瓜，向冬[②]发寒热及温病。初食时即令人欲吐也，食竟，心内作停水，不能自消，或为反胃。凡瓜入水沉者，食之得冷病，终身不瘥。

越瓜：味甘，平，无毒。不可多食，益肠胃。

①凡瓜：孙真人本作："凡冬瓜"。

②向冬：犹言"至冬"。

胡瓜：味甘，寒，有毒。不可多食，动寒热，多疟病[①]，积瘀血热。

早青瓜：味甘，寒，无毒。食之去热烦。不可久食，令人多忘。

注

①多疟病：《考异》曰："据《医心方》'多'当作'发'，《证类本草》引《嘉祐》亦作'多'。"

冬葵子：味甘，寒，无毒。主五脏六腑寒热羸瘦，破五淋，利小便；妇人乳难，血闭。久服坚骨，长肌肉，轻身延年。十二月采。叶：甘，寒，滑，无毒。宜脾，久食利胃气。其心伤人，百药忌食心，心有毒。黄帝云：霜葵陈者生食之，动五种流饮，饮盛则吐水。凡葵菜和鲤鱼鲊食之害人。四季之月土王时，勿食生葵菜，令人饮食不化，发宿病。

苋菜实：味甘，寒，涩，无毒。主青盲，白翳，明目；除邪气；利大小便，去寒热，杀蛔虫。久服益气力，不饥，轻身。一名马苋，一名莫实[①]，即马齿苋菜也。治反花疮[②]。

小苋菜：味甘，大寒，滑，无毒。可久食，益气力，除热。不可共鳖肉食，成鳖瘕[③]；蕨菜亦成鳖瘕。

邪蒿：味辛，温，涩，无毒。主胸膈中臭恶气，利肠胃。

①莫实：孙真人本作“英实”。

②反花疮：指生疮溃后，胬肉由疮口突出，头大蒂小，表面如花状者。

③鳖瘕：腹中瘕结如鳖状。

苦菜：味苦，大寒，滑，无毒。主五脏邪气，厌谷胃痹，肠澼；大渴热中；暴疾；恶疮。久食安心益气，聪察少卧[①]，轻身耐老，耐饥寒。一名荼草，一名选，一名游冬[②]。冬不死，四月上旬采。

荠菜：味甘，温，涩，无毒。利肝气，和中，杀诸毒[③]。其子主明目、目痛、泪出；其根主目涩痛。

①聪察少卧：头脑灵活，精力旺盛。

②游冬：孙真人本作“葵”。

③杀诸毒：解各种毒。

芜菁及芦菔菜：味苦，冷，涩，无毒。利

五脏，轻身益气，宜久食。芜菁子：明目，九蒸暴，疗黄疸[1]，利小便，久服神仙[2]。根：主消风热毒肿。不可多食，令人气胀。

菘菜：味甘，温，涩，无毒。久食通利肠胃，除胸中烦，解消渴。本是蔓菁也，种之江南即化为菘，亦如枳橘，所生土地随变[3]。

注

①黄疸：以目黄、身黄、小便黄为主要临床表现的病症，其中以目睛黄染为本病的主要特征。

②神仙：成为神仙。

③所生土地随变：根据生长的土地不同而发生改变。

芥菜：味辛，温，无毒。归鼻，除肾邪；大破咳逆[1]，下气；利九窍，明耳目安中[2]；久食温中，又云寒中。其子：味辛，辛亦归鼻，有毒。主喉痹，去一切风毒肿。黄帝云：芥菜不可共兔肉食，成恶邪病。

苜蓿：味苦，平，涩，无毒。安中，利[3]人四体，可久食。

荏子：味辛，温，无毒。主咳逆，下气，温中，补髓。其叶：主调中，去臭气。九月采，阴干用之。油亦可作油衣。

①破咳逆：治疗咳嗽气逆。

②中：中焦脾胃。

③利：通利。

蓼实：味辛，温，无毒。明目，温中，解肌，耐风寒；下水气，面目浮肿，却痈疽[①]。其叶：辛，归舌。治大小肠邪气；利中，益志。黄帝云：蓼食过多有毒，发心痛。和生鱼食之，令人脱气，阴核疼痛求死。妇人月水来，不用食蓼及蒜，喜为血淋、带下[②]。二月勿食蓼，伤人肾。扁鹊云：蓼，久食令人寒热，损骨髓，杀丈夫阴气，少精。

①痈疽：毒疮，皮肤的毛囊和皮脂腺成群受细菌感染所致的化脓性炎。

②带下：特指妇女阴道中流出黏腻液体的病症。因颜色不同，而有白带、赤带、赤白带、黄带、青带、

黑带、五色带之别。

葱实: 味辛，温，无毒。宜肺。辛归头，明目，补中不足。其茎白平，滑，可作汤。主伤寒寒热，骨肉碎痛，能出汗；治中风，面目浮肿，喉痹不通。安胎。杀桂[①]。其青叶：温，辛，归目。除肝[②]中邪气，安中，利五脏；益目精；发黄疸，杀百药毒。其根须：平。主伤寒头痛。

注

①桂："桂"下疑脱"毒"字。

②肝：孙真人本作"腑"。

葱中涕及生葱汁： 平，滑。止尿血，解藜芦及桂毒。黄帝云：食生葱即啖蜜，变作下利[①]；食烧葱并啖蜜，拥气而死。正月不得食生葱，令人面上起游风[②]。

格葱[③]： 味辛，微温，无毒。除瘴气恶毒。久食益胆气，强志。其子主泄精。

注

①下利：痢疾与泄泻的统称。

②游风：多发于口唇、眼睑、耳垂，或胸腹、背部、手背等处，常急骤发作，消退亦快，游走无定。患处皮肤起红晕，并浮肿形如云片，灼热瘙痒。状若风疹块，但更为肿大。

③格葱：即茖葱，又名山葱、隔葱、鹿耳葱。

薤：味苦、辛，温，滑，无毒。宜心，辛归骨，主[①]金疮疮败，能生肌肉，轻身不饥，耐老。菜芝也。除寒热，去水气，温中，散结气；利产妇病人。诸疮中风寒水肿，生捣敷之。鲠骨在咽[②]不下者，食之则去。黄帝云：薤不可共牛肉作羹食之，成瘕疾[③]。韭亦然。十月、十一月、十二月勿食生薤，令人多涕唾。

①主：主治。

②鲠骨在咽：鱼骨头卡在喉咙里。

③瘕疾：腹中结块病。

韭：味辛、酸，温，涩，无毒。辛归心，宜肝，可久食。安五脏，除胃中热。不利病人，其心腹有痼冷者，食之必加剧。其子主梦泄精，尿色白。根煮汁以养发。黄帝云：霜韭冻不可生食，动宿饮，饮盛必吐水。五月勿食韭，损人滋味，令人乏气力。二月、三月宜食韭，大益人心。

白蘘荷：味辛，微温，涩，无毒。主中蛊及疟病①。捣汁服二合，日二。生根主诸疮。

注

①疟病：疟疾。

菾菜：味甘，苦，大寒，无毒。主时行壮热，解风热恶毒。

紫苏：味辛，微温，无毒。下气，除寒中①。其子尤善②。

鸡苏：味辛，微温，涩，无毒。主吐血，下气。一名水苏。

注

①寒中：指邪在脾胃而见里寒之病证。

②其子尤善：紫苏子的效果更好。

罗勒：味苦、辛，温、平，涩，无毒。消停水，散毒气。不可久食，涩荣卫[1]诸气。

芜荑：味辛，平，热，滑，无毒。主五内邪气，散皮肤骨节中淫淫温行毒，去三虫，能化宿食不消，逐寸白，散腹中温温[1]喘息。一名无姑，一名蕨（diàn）蘠（táng）。盛器物中甚辟水蛭。其气甚臭，此即山榆子作之。

①荣卫：荣气行于脉中，属阴；卫气行于脉外，属阳。荣卫二气散布于全身，内外相贯，运行不已，对人体起着滋养和保卫作用。

②温温：同“愠愠”，气郁满胀的样子。

凡榆叶：味甘，平，滑，无毒。主小儿痫，小便不利[1]，伤暑热困闷，煮汁冷服。生榆白皮味甘，冷，无毒。利小便，破五淋。花主小儿头疮。

胡荽子：味酸，平，无毒。消谷，能复食味。叶不可久食，令人多忘。华佗云：胡荽菜，患胡臭人，患口气臭、䘌（nì）齿，人食之加剧；腹内患邪气者，弥[2]不得食，食之发宿病，金疮尤忌。

注

①小便不利：小便量减少、排尿困难及小便完全闭塞不通。

②弥：满，肿胀。

海藻：咸，寒，滑，无毒。主瘿瘤[1]结气，散颈下硬核痛者，肠内上下雷鸣[2]，下十二肿，利小便，起男子阴气。

昆布：味咸，寒，滑，无毒。下十二水肿，瘿瘤结气，瘘疮[3]，破积聚。

注

①瘿瘤：生在皮肤、肌肉、筋骨等处的肿块。

②雷鸣：胃肠蠕动辘辘作响的症状。

③瘘疮：肛门部疾病的总称。

茼蒿：味辛，平，无毒。安心气，养脾胃，消痰饮。

白蒿：味苦、辛，平，无毒。养五脏，补中益气，长毛发。久食不死①，白兔食之仙②。

吴葵：一名蜀葵。味甘，微寒，滑，无毒。花：定心气。叶：除客热，利肠胃。不可久食，钝人志性。若食之，被狗啮者，疮永不瘥③。

①不死：长寿。

②仙：成仙

③瘥：病愈。

藿：味咸，寒，涩，无毒。宜肾，主大小便数，去烦热。

香菜①：味辛，微温。主霍乱、腹痛、吐下，散水肿、烦心，去热。

注

①香菜：香薷。

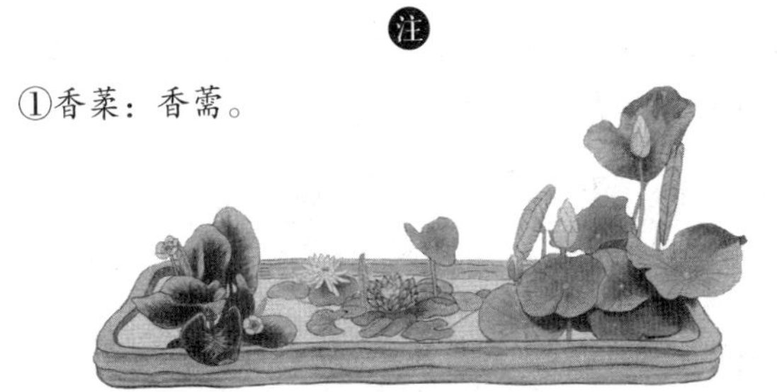

甜瓠：味甘，平，滑，无毒。主消渴、恶疮，鼻、口中肉烂痛。其叶味甘，平，主耐饥。扁鹊云：患脚气虚胀者，不得食之，其患永不除。

莼：味甘，寒，滑，无毒。主消渴热痹[1]，多食动痔病。

落葵：味酸，寒，无毒。滑中、散热实，悦泽人面。一名天葵，一名蘩露。

①热痹：热毒流注关节，或内有蕴热，复感风寒湿邪，与热相搏而致的痹症。

蘩蒌[1]**：**味酸，平，无毒。主积年恶疮、痔不愈者。五月五日日中采之，即名滋草，一名鸡肠草。干之，烧作焦灰用。扁鹊云：丈夫患恶疮，阴头及茎作疮脓烂，疼痛不可堪忍，久不瘥者，以灰一分，蚯蚓新出屎泥二分，以少水和研，如煎饼面，以泥疮上，干则易之，禁酒、面、五辛并热食等。黄帝云：蘩蒌合鳝鲊[2]食之，发消渴病，令人多忘。另有一种近水渠中湿处，冬生，其状类胡荽，亦名鸡肠菜，可以疗痔病，一名天胡荽。

①蘩蒌：读音 fán lóu。

②鲊：读音 zhǎ，一种用盐和红曲腌的鱼。

蕺：味辛，微温，有小毒。主蠷螋[1]尿疮。多食令人气喘，不利人脚，多食脚痛。

葫[2]：味辛，温，有毒。辛归五脏。散痈疽，治䘌（nì）疮，除风邪，杀蛊毒气，独子者最良。黄帝云：生葫合青鱼醋食之，令人腹内生疮，肠中肿，又成疝[3]瘕，多食生葫行房，伤肝气，令人面无色。四月、八月勿食葫，伤人神，损胆气，令人喘悸，胁肋气急，口味多爽。

①蠷螋：为一种杂食性昆虫。盛产于热带和亚热带，常生活在树皮缝隙，枯朽腐木中或落叶堆下，喜欢潮湿阴暗的环境。

②葫：即大蒜。汉时由西域胡地引种，故称“葫”。

③疝：人体内某个脏器或组织离开其正常解剖位置的一种病症。

小蒜：味辛，温，无毒。辛归脾、肾。主霍乱，腹中不安，消谷，理胃气，温中，除邪痹毒气。五月五日采，曝干。叶主心烦痛，解诸毒，小儿丹疹[1]，不可久食，损人心力。黄帝云：食小蒜，啖生鱼，令人夺气[2]，阴核疼求死。三月勿食小蒜，伤人志性。

注

①丹疹：咽喉红肿糜烂，疹色鲜红如丹。

②夺气：指语言低微，气喘不续，欲言不能复言的症状。

茗叶[1]：味苦、咸、酸，冷，无毒。可久食，令人有力，悦志，微动气。黄帝云：不可共韭食，令人自重。

蕃荷[2]叶：味苦、辛，温，无毒。可久食。却肾气，令人口气香洁。主辟邪毒，除劳弊。形瘦疲倦者不可久食，动消渴病。

①茗叶：即茶叶。

②蕃荷：即薄荷。

苍耳子：味苦、甘，温。叶味苦、辛，微寒，涩，有小毒。主风头寒痛，风湿痹，四肢拘急[①]挛痛；去恶肉死肌，膝痛、溪毒[②]。久服益气，耳目聪明，强志轻身。一名胡菜，一名地葵，一名葹，一名常思。蜀人名羊负来，秦名苍耳魏人名只刺。黄帝云：戴甲苍耳，不可共猪肉食，害人。食甜粥，复以苍耳甲下之，成走注[③]，又患两胁。立秋后忌食之。

①四肢拘急：四肢拘挛难以屈伸的症状。

②溪毒：即射工虫。传说中的毒虫。

③走注：行痹的别称，俗称鬼箭风。风毒之气游于皮肤、骨髓，往来疼痛无定处，这是因为体虚，又受风邪之气，风邪乘虚而入所致，因此痛无定处。

食茱萸：味辛、苦，大温，无毒。九月采，停陈久者良，其子闭口者有毒，不任用。止痛下气，除咳逆，去五脏中寒冷，温中，诸冷实不消[①]。其生白皮主中恶、腹痛，止齿疼。其根细者去三虫，寸白。黄帝云：六月、七月勿食茱萸，伤神气，令人起伏气[②]。咽喉不通彻，贼风[③]中人，口僻[④]不能语者，取茱萸一升，去黑子及合口者，好豉三升，二物以清酒和煮四五沸，取汁冷，服半升，日三，得小汗瘥。虿螫人，嚼茱萸封上，止。

①冷实不消：生冷的食物不消化。

②伏气：使人体外感六淫伏于体内不即刻发病而过后发病的病气。山田业广曰：“伏气者，病素伏而卒发之谓。”

③贼风：致病邪气。

④口僻：口角向一侧㖞斜，又名“口㖞”或“口歪”。

蜀椒：味辛，大热，有毒。主邪气，温中下气，留饮宿食，能使痛者痒，痒者痛。久食令人乏气，失明。主咳逆，逐皮肤中寒冷，去死肌、湿痹[1]痛，心下冷气；除五脏六腑寒，百骨节中积冷，温疟，大风汗自出者；止下利[2]，散风邪。合口者害人，其中黑子有小毒，下水。仲景云：熬用之。黄帝云：十月勿食椒，损人心，伤血脉。

①湿痹：因风、寒、湿三邪中，以湿邪偏胜，湿性黏腻滞着所致。表现为肌肤麻木，关节重着，肿痛处固定不移。

②下利：古代中医学对“泄泻”与“痢疾”的统称。

干姜：味辛，热，无毒。主胸中满，咳逆上气，温中；止漏血[1]、出汗；逐风湿痹，肠澼下利，寒冷腹痛、中恶、霍乱、胀满、风邪诸毒、皮肤间结气；止唾血[2]。生者尤良。

①血漏：妇科疾病，西医学称为产后大出血。

②唾血：痰中带血。

生姜：味辛，微温，无毒。辛归五脏，主伤寒头痛，去痰下气，通汗。除鼻中塞，咳逆上气，止呕吐，去胸膈上臭气，通神明。黄帝云：八月、九月勿食姜，伤人神，损寿。胡居士[①]云：姜杀腹内长虫[②]，久服令人少志，少智，伤心性。

堇葵：味苦，平，无毒。久服除人心烦急，动痰冷，身重，多懈惰。

①胡居士：胡洽，又名胡道洽，南北朝时期的通医道士，著有《胡洽百病方》，已佚。

②长虫：即蛔虫。

芸薹：味辛，寒，无毒。主腰脚痹。若旧患腰脚痛者，不可食，必加剧。又治油肿丹毒[①]。益胡臭，解禁咒之辈。出《五明经》。其子：主梦中泄精，与鬼交[②]者。胡居士云：世人呼为寒菜，甚辣。胡臭人食之，病加剧。陇西氐羌[③]中多种食之。

竹笋：味甘，微寒，无毒。主消渴，利水道，益气力，可久食。患冷人食之心痛。

注

①丹毒：热毒之气暴发于皮肤间，不得外泄，则蓄热为丹毒。患病皮肤如涂丹之赤。

②鬼交：指人在睡梦中与鬼性交。

③氐羌：即氐族与羌族，古代分布在我国西北部的少数民族。

野苣：味苦，平，无毒。久服轻身少睡[1]，黄帝云：不可共蜜食之，作痔。

白苣：味苦，平，无毒。益筋力。黄帝云：不可共酪[2]食，必作虫。

茴香菜：味苦、辛，微寒，涩，无毒。主霍乱，辟[3]热除口气。臭肉和水煮，下少许，即无臭气，故曰茴香。酱臭末中亦香。其子主蛇咬疮久不瘥，捣敷之。又治九种瘘。

①轻身少睡：身体轻盈，精力充沛。

②酪：孙真人本作“饴”。

③辟：排除，祛除。

蕈菜：味苦，寒，无毒。主小儿火丹、诸毒肿，去暴热。

蓝菜：味甘，平，无毒。久食大益肾，填髓脑，利五脏，调六腑。胡居士云：河东陇西羌胡多种食之，汉地鲜有[①]。其叶长大厚，煮食甘美。经冬不死，春亦有英，其花黄，生角结子。子甚治人多睡[②]。

萹竹叶：味苦，平，涩，无毒。主浸淫、疥瘙[③]、疽痔，杀三虫，女人阴蚀。扁鹊云：煮汁，与小儿冷服，治蛔虫。

①鲜有：少有。

②睡：后藤本眉批曰："明版作'唾'。"

③疥瘙：疥疮。

蕲菜：味苦、酸，冷，涩，无毒。益筋力，去伏热。治五种黄病[①]。生捣绞汁，冷服一升，日二。黄帝云：五月五日勿食一切菜，发百病[②]。凡一切菜，熟煮热食。时病瘥后，食一切肉并蒜，食竟[③]行房，病发必死。时病瘥后未健，食生青菜者，手足必青肿。时病瘥未健，食青菜竟行房，病更发，必死。十月勿食被霜菜，令人面上无光泽，目涩痛，又疟发心痛，腰疼，或致心疟[4]，发时手足十脂爪皆青，困痿。

①五种黄病：本书卷十第五记载："黄种有五，有黄汗、黄疸、谷疸、酒疸、女劳疸。"

②百病：各种疾病。

③竟：结束，完毕。

④心疟：症见心烦饮冷，反寒多而不甚热。

食治

谷米第四

（二十七条）

薏苡仁：味甘，温，无毒。主筋拘挛[①]，不可屈伸，久风湿痹，下气。久服轻身益力。其生根下三虫。名医云：薏苡仁除筋骨中邪气不仁[②]，利肠胃，消水肿，令人能食。一名䔶（gàn），一名感米。蜀人多种食之。

注

①拘挛：指筋骨拘急挛缩，肢节屈伸不利。

②不仁：活动不灵，感觉丧失。

胡麻：味甘，平，无毒。主伤中虚羸，补五内，益气力，长肌肉，填髓脑，坚筋骨，疗金疮[①]，止痛，及伤寒温疟，大吐下后虚热困乏。久服轻身不老，明耳目，耐寒暑，延年。作油微寒。主利大肠，产妇胞衣不落[②]。生者摩疮肿，生秃发，去头面游风[③]。一名巨胜，一名狗虱，一名方茎，一名鸿藏。叶名青蘘，主伤暑热；花主生秃发，七月采最上标头[④]者，阴干用之。

①金疮：中医学上指刀箭等金属器械造成的伤口。

②胞衣不落：产妇娩出胎儿后，经过半小时，胞衣（胎盘）仍不能自动排出的病症。

③头面游风：一种以头面部浮肿、瘙痒起皮、渗液结痂为特征的疾病。

④标头：指最高的末梢处。《玉篇·木部》：“标，木末也。”又云：“标，巅也。”

白麻子：味甘，平，无毒。宜肝，补中益气，肥健不老。治中风汗出，逐水，利小便，破积血风毒肿，复血脉，产后乳余疾[①]。能长发，可为沐药。久服神仙。

饴：味甘，微温，无毒。补虚冷，益气力，止肠鸣[2]咽痛，除唾血，却卒嗽。

①乳余疾：指妇女产后出现的疾病，如筋骨酸痛等。
②肠鸣：腹中胃肠蠕动辘辘作响的症状。

大豆黄卷：味甘，平，无毒。主久风湿痹筋挛膝痛；除五脏、胃气结积，益气，止毒；去黑痣、面皯，润泽毛皮，宜肾。

生大豆：味甘，平，冷，无毒。生捣，淳醋和涂之，治一切毒肿，并止痛。煮汁冷服之，杀鬼毒[1]，逐水胀，除胃中热，却风痹、伤中、淋露，下瘀血。散五脏结积内寒，杀乌头三建[2]，解百药毒；不可久服，令人身重。其熬屑：味甘，温，无毒。主胃中热，去身肿，除痹，消谷[3]，止腹胀。九月采。黄帝云：服大豆屑忌食猪肉。炒豆不得与一岁以上、十岁以下小儿食，食竟啖猪肉，必拥气死。

注

①除鬼毒：迷信者称无名肿毒为鬼毒。

②乌头三建：犹言“乌头等三建”，指的是出产于建平的天雄、乌头与附子。陶弘景《本草经集注》“天雄”条云：“此与乌头、附子三种，本并出建平，谓为三建。”建平，三国吴置郡名，今属四川。

③消谷：消化胃肠中食物。

赤小豆：味甘、咸，平，冷，无毒。下水肿，排脓血。一名赤豆。不可久服，令人枯燥。

青小豆：味甘、咸，温、平，涩，无毒。主寒热，热中，消渴；止泄利，利小便，除吐逆，卒澼下[①]、腹胀满。一名麻累，一名胡豆。黄帝云：青小豆合鲤鱼鲊食之，令人肝至[②]，五年成干痟病。

①澼下：泄下。

②肝至：孙真人本、无刻本、道藏本、四库本、后藤本并作“肝黄”。山田业广云：“嘉靖本、万历本作”跟黄”。

大豆豉：味苦、甘，寒，涩，无毒。主伤寒头痛，寒热，辟瘴气恶毒，烦躁满闷，虚劳喘吸，两脚疼冷，杀六畜胎子诸毒。

大麦：味咸，微寒，滑，无毒。宜心，主消渴，除热，久食令人多力，健行。作蘖[1]，温，消食和中。熬末令赤黑，捣作麨[2]，止泄利；和清醋浆服之，日三夜一服。

①蘖：音 niè，酿酒的曲。

②麨：音 chǎo，炒的米粉或面粉，一种干粮。

小麦：味甘，微寒，无毒。养肝气，去客热，止烦渴咽燥，利小便，止漏血唾血；令女人孕必得。易作曲，六月作者温，无毒。主小儿痫，食不消，下五痔虫，平胃气，消谷，止利。作面：温，无毒，不能消热止烦。不可多食，长宿癖[1]，加客气[2]，难治。

①癖：中医学指饮水不消的病症。

②客气：外邪侵入体内。

青粱米：味甘，微寒，无毒。主胃痹，热中；除消渴，止泄利，利小便；益气力，补中，轻身，长年[①]。

黄粱米：味甘，平，无毒。益气和中，止泄利。人呼为竹根米。又却当风卧湿寒中者。

白粱米：味甘，微寒，无毒。除热，益气。

粟米：味咸，微寒，无毒。养肾气，去骨痹[②]、热中，益气。

①长年：延长寿命。

②骨痹：凡由六淫之邪侵扰人体筋骨、关节，闭阻经脉气血，出现肢体沉重、关节剧痛，甚至发生肢体拘挛屈曲，或强直畸形者，谓之骨痹。

陈粟米：味苦，寒，无毒。主胃中热，消渴，利小便。

丹黍米：味苦，微温，无毒。主咳逆上气，霍乱，止泄利，除热，去烦渴[①]。

白黍米：味甘、辛，温，无毒。宜肺，补中，益气。不可久食，多热，令人烦。黄帝云：

五种黍米合葵食之，令人成痼疾。又以脯腊[2]着五种黍米中藏储食之，云令人闭气。

①烦渴：烦躁口渴。

②脯腊：干肉。

陈廪米：味咸、酸，微寒，无毒。除烦热，下气调胃，止泄利。黄帝云：久藏脯腊安[1]米中，满三月，人不知，食之害人。

糵米：味苦，微温，无毒。主寒中，下气，除热。

秫米：味甘，微寒，无毒。主寒热，利大肠，治漆疮[2]。

注

①安：安放。

②漆疮：因接触生漆而引起的皮肤过敏。

酒：味苦、甘、辛，大热，有毒。行药势，杀百邪、恶气。黄帝云：暴下后饮酒者，膈上变为伏热。食生菜饮酒，莫炙腹，令人肠结。扁鹊云：久饮酒者，腐肠烂胃，溃髓蒸筋，伤神损寿；醉当风卧，以扇自扇，成恶风；醉以冷水洗浴，成疼痹。大醉汗出，当以粉粉身，令其自干，发成风痹。常日未没食讫，即莫饮酒，终身不干呕；饱食讫，多饮水及酒，成痞僻[1]。

①痞僻：痞者，塞也，结者，实也；僻者，血膜包水，僻侧于胁旁，时时作痛。

扁豆：味甘，微温，无毒。和中下气。其叶平，主霍乱，吐下不止。

稷米：味甘，平，无毒。益气安中，补虚和胃，宜脾。

粳米：味辛，苦，平，无毒。主心烦，断下利，平胃气，长肌肉，温中[1]。又云：生者冷，燔[2]者热。

糯米：味苦，温，无毒。温中，令人能食，多热[3]，大便硬。

注

①温中：“温”下原脱“中”字，据孙真人本、元刻本、道藏本、四库本、后藤本补。

②燔：音fán，炙烤。《广韵·元韵》：“燔，炙也。”

③多热：身体发热。

醋：味酸，温，涩，无毒。消痈肿，散水气，杀邪毒，血运。扁鹊云：多食醋，损人骨。能理诸药，消毒[1]。

荞麦：味酸，微寒，无毒。食之难消[2]，动大热风。其叶生食动刺风，令人身痒。黄帝云：作面和猪、羊肉热食之，不过八九顿，作热风，令人眉须落，又还生，仍稀少。泾邠[3]以北，多患此疾。

①毒：孙真人本“毒”下有“热”字。

②难消：难以消化。

③泾邠：指泾州和邠州。泾州在今甘肃省泾州县，邠州在今陕西省彬县。“邠”音bīn，也作“豳”“彬”。

盐：味咸，温，无毒。杀鬼蛊、邪注、毒气，下部䘌（nì）疮；伤寒寒热，能吐胸中痰澼[①]，止心腹卒[②]痛，坚肌骨。不可多食，伤肺喜咳，令人色肤黑，损筋力。扁鹊云：盐能除一切大风疾痛者，炒熨[③]之。黄帝云：食甜粥竟，食盐即吐，或成霍乱。

①痰澼：饱食过多，则结积聚，渴饮过多，则成痰澼。
②卒：突然。
③炒熨：炒热熨敷。

食治

鸟兽第五 虫鱼附（四十条）

人乳汁：味甘，平，无毒。补五脏，令人肥白悦泽[①]。

马乳汁：味辛，温，无毒。止渴。

牛乳汁：味甘，微寒，无毒。补虚羸，止渴。入生姜、葱白，止小儿吐乳，补劳[②]。

羊乳汁：味甘，微温，无毒。补寒冷、虚乏、少血色。令人热中。

注

①悦泽：光润悦目。

②补劳：补益虚劳。

驴乳：味酸，寒，一云大寒，无毒。主大热黄疸，止渴。

母猪乳汁：平，无毒。主小儿惊痫[①]，以饮，神妙[②]。

马牛羊酪：味甘、酸，微寒，无毒。补肺藏，利大肠[③]。黄帝云：食甜酪竟，即食大醋者，变作血瘕及尿血。华佗云：马牛羊酪，蚰蜒入耳者，灌之即出。

①惊痫：一种反复发作性神志异常的病症。亦称癫痫，俗称羊痫风。临床上，以突然意识丧失、发则仆倒、不省人事、强直抽搐、口吐涎沫、两目上视或口中怪叫为特征。移时苏醒，一如常人。

②神妙：效果神奇。

③利大肠：通利大肠。

沙牛[①]及白羊酥：味甘，微寒，无毒。除胸中客气，利大小肠，治口疮。

牦[②]牛酥：味甘，平，无毒。去诸风湿痹，除热，利大便，去宿食。

醍醐：味甘，平，无毒。补虚，去诸风痹，

百炼乃佳，甚去月蚀疮，添髓，补中，填骨，久服增年。

注

①沙牛：又作“牸牛”。李时珍《本草纲目·兽部》：“牛之牡者曰牯……牝者曰牸。”

②牦：道藏本、四库本并作“牝”。

熊肉：味甘，微寒，微温，无毒。主风痹不仁，筋急五缓。若腹中有积聚，寒热羸瘦者，食熊肉，病永不除。其脂味甘、微寒，治法与肉同，又去头疡、白秃[①]、面皯䵟，食饮呕吐。久服强志不饥，轻身长年。黄帝云：一切诸肉，煮不熟，生不敛[②]者，食之成瘕[③]。熊及猪二种脂，不可作灯，其烟气入人目，失明，不能远视。

注

①白秃：头皮癣疾之一，初起头皮毛发根部出现灰白色屑斑，小如豆粒，大如钱币，日久逐渐蔓延扩大成片，毛发干枯，断折易落，参差不齐，偶有瘙痒，久则发枯脱落或斑秃，但愈后毛发可再生。

②敛：收缩、干缩。

③瘕：腹中结块。

羖羊角：味酸、苦，温微，寒，无毒。主青盲[①]，明目，杀疥虫[②]，止寒泄[③]、心畏惊悸[④]，除百节中结气及风伤蛊毒、吐血，妇人产后余痛。烧之杀鬼魅，辟[⑤]虎狼。久服安心益气，轻身。勿令中湿，有毒。髓：味甘，温，无毒。主男子女人伤中，阴阳气不足。却风热，止毒，利血脉，益经气。以酒和服之，亦可久服，不损人。

①青盲：俗称青光眼。症状为视力逐渐减退，渐至失明，但眼的外观没有异常，也无明显不适感。
②疥虫：生长在人体的皮肤下引起疥疮的寄生虫。
③寒泄：因寒邪客肠胃所致，症见肠鸣腹痛、便泻稀水等。
④惊悸：指因惊恐而心跳得厉害。
⑤辟：驱赶，驱散。

青羊胆汁：冷，无毒。主诸疮，能生人身脉；治青盲，明目。肺：平，补肺治嗽，

止渴，多小便，伤中，止虚，补不足，去风邪。肝：补肝明目。心：主忧恚[①]，膈中逆气。肾：补肾气虚弱，益精髓。头骨：主小儿惊痫，煮以浴之。蹄肉：平，主丈夫五劳七伤。

注

① 忧恚：忧愁愤恨。

肉：味苦、甘，大热，无毒。主暖中止痛，字乳余疾[①]，及头脑中大风，汗自出，虚劳寒冷，能补中益气力，安心止惊，利产妇，不利时患人。头肉：平。主风眩[②]瘦疾，小儿惊痫，丈夫五劳七伤。其骨热。主虚劳寒中羸瘦，其宿有热者，不可食。

注

①字乳余疾：亦称“乳余疾”“产乳余疾”，指妇女产后所致疾病。

②风眩：因风邪、风痰所致的眩晕。

生脂：止下利脱肛，去风毒，妇人产后腹中绞痛。肚：主胃反，治虚羸小便数，止虚汗[①]。黄帝云：羊肉共醋食之，伤人心，亦不可共生鱼、酪和食之，害人。凡一切羊蹄甲中有珠子白者，名羊悬筋，食之令人癫。白羊黑头，食其脑作肠痈[②]。羊肚共饭饮常食，久久成反胃，作噎病[③]。甜粥共肚食之，令人多唾，喜吐清水。

①虚汗：体虚或患有某种疾病而引起的不正常的出汗现象。

②肠痈：发于肠部的痈疽。

③噎病：有五种，气噎、忧噎、食噎、劳噎、思噎。阴阳不和则三焦隔绝，三焦隔绝则津液不利，因此气塞不调理，是以成噎，这是由忧恚所致。

羊脑、猪脑：男子食之损精气、少子。若欲食者，研之如粉，和醋食之，初不如不食佳。青羊肝和小豆食之，令人目少明。一切羊肝生共椒食之，破人五脏，伤心，最损小儿。弥忌水中柳木及白杨木，不得铜器中煮羖羊肉[①]，食之丈夫损阳，女子绝阴。暴下后不可食羊肉髓及骨汁，成烦热难解，还动利。凡六畜五脏，着草自动摇，及得咸醋不变色，又堕地不汙[②]，又与犬犬不食者，皆有毒，杀人。六月勿食羊肉，伤人神气。

注

①羖羊肉：雄性山羊或雄性绵羊的肉。

沙牛髓：味甘，温，无毒。安五脏，平胃气，通十二经脉，理三焦约[①]，温骨髓，补中，续绝伤[②]，益气力；止泄利，去消渴，皆以清酒和暖服之。肝：明目。胆：可丸百药，味苦，大寒，无毒。除心腹热渴，止下利，去口焦燥，益目精。心：主虚忘[③]。

肾：去湿痹，补肾气，益精。齿：主小儿牛痫。肉：味甘，平，无毒。主消渴，止唾涎出，安中，益气力，养脾胃气。不可常食，发宿病。自死者不任食。喉咙：主小儿啤[④]。

注

①约：孙真人本无“约”字。

②绝伤：一般指的是骨伤科疾病，跌打或者骨折。

③忘：孙真人本作“妄”。

④啤：《考异》：“按‘啤’字方书未经见，恐‘呷’讹。”呷，又作呷气，指打嗝、呕吐、反胃。

黄犍[1]、沙牛、黑牯牛[2]尿：味苦、辛，微温，平，无毒。主水肿腹脚俱满者，利小便。黄帝云：乌牛自死北首者，食其肉害人。一切牛盛热时卒死者，总不堪食，食之作肠痈。患甲蹄肉牛，食其蹄中拒[3]筋，令人作肉刺。独肝牛肉，食之杀人，牛食蛇者独肝，患疥牛、马肉食，令人身体痒。

①犍：被阉过的牛。李时珍曰：“牛之牧者曰牯，去势曰犍。”

②牯牛：即公牛。

③拒：后藤敏曰：“《食经》‘拒’作‘巨’。”

牛肉共猪肉食之，必作寸白虫。直尔黍[①]米、白酒、生牛肉共食，亦作寸白[②]，大忌。人下利者，食自死牛肉必剧[③]。一切牛、马乳汁及酪，共生鱼食之，成鱼瘕[④]。六畜脾，人一生莫食。十二月勿食牛肉，伤人神气。

注

①黍：中国古代主要粮食及酿造作物，列为五谷之一。
②寸白：元刻本、后藤本“白”下并有“虫”字。
③剧：加剧，加重。
④鱼瘕：胃气虚弱者，食生鱼，因为冷气所搏，不能消化，结成鱼瘕。

马心：主喜忘。肺：主寒热茎痿。肉：味辛、苦，平，冷，无毒。主伤中，除热，下气，长筋，强腰脊，壮健强志，利意[①]，轻身，不饥。

黄帝云：白马自死，食其肉害人。白马玄[②]头，食其脑令人癫，白马鞍下乌色彻肉里[③]者，食之伤人五脏。下利者，食马肉必加剧。白马青蹄，肉不可食。一切马汗气及毛不可入食中，害人。诸食马肉心烦闷者，饮以美酒则解，白酒则剧。五月勿食马肉，伤人神气。

①利意：增强心力。

②玄：赤黑色。《说文》："黑而有赤色者为玄。"

③彻肉里：透入肉中。

野马阴茎：味酸、咸，温，无毒。主男子阴痿缩[1]，少精。肉：辛，平，无毒。主人马痫，筋脉不能自收，周痹[2]，肌不仁。病死者不任用。

①阴痿缩：即阳痿。

②周痹：孙真人本作"风痹"风痹，中医学指风寒湿侵袭而引起的肢节疼痛或麻木的疾病。

驴肉：味酸，平，无毒。主风狂，愁忧不乐，能安心气。病死者不任用。其头烧却毛，煮取汁以浸曲酿酒，甚治大风动摇不休者[1]。皮胶亦治大风。

狗阴茎：味酸，平，无毒。主伤中，丈夫阴痿不起。

①大风动摇不休者：持续痉挛抽搐的患者。

狗脑：主头风痹，下部䘌（nì）疮，疮中[1]息肉。肉：味酸、咸，温，无毒。宜肾，安五脏，补绝伤劳损。久病大虚者服之，轻身，益气力。黄帝云：白犬[2]合海鲉食之，必得恶病。白犬自死不出舌者，食之害人。犬春月多狂，若鼻赤起而燥者，此欲狂，其肉不任食。九月勿食犬肉，伤人神气。

①疮中：后藤敏曰："《翼方》'疮中'作'鼻中'，《别录》同。"

②犬：孙真人本"犬"下有"血"字。

豚卵：味甘，温[1]，无毒。除阴茎中痛，惊痫，鬼气，蛊毒；除寒热、奔豚、五癃[2]、邪气挛缩。

一名豚颠。阴干，勿令败。豚肉：味辛，平，有小毒。不可久食，令人遍体筋肉碎痛，乏气[③]。大猪后脚悬蹄甲：无毒，主五痔，伏热在腹中，肠痈内蚀，取酒浸半日，炙焦用之。大猪四蹄：小寒，无毒。主伤挞[④]、诸败疮。

注

①温：孙真人本作“寒”。

②五癃：五种泌尿系疾病之总称。

③乏气：乏力气短。

④挞：打。

母猪蹄： 寒，无毒。煮汁服之，下乳汁[①]，甚[②]解石药毒。大猪头肉：平，无毒。补虚乏气力，去惊痫、鬼毒、寒热、五癃。脑：主风眩[③]。心：平，无毒。主惊邪、忧恚、虚悸、气逆；妇人产后中风，聚血气惊恐。肾：平，无毒。除冷利[④]，理肾气，通膀胱。肝：味苦，平，无毒。主明目。

注

①下乳汁：通下乳汁。

②甚：容易，快。

③风眩：眩晕的一种，又称为风头眩。

④冷利：由肠虚寒客所致的痢疾。

猪喙[1]：微寒，无毒。主冻疮痛痒。肚：微寒，无毒。补中益气，止渴，断暴利[2]虚弱。肠：微寒，无毒。主消渴、小便数，补下焦虚竭。其肉间脂肪：平，无毒。主煎诸膏药，破冷结，散宿血[3]，解斑蝥、芫青毒。

①喙：四库本作“肺”。

②暴利：急性症状严重的痢疾。

③宿血：聚集不流动的血液。

猪洞肠[1]：平，无毒。主洞肠挺出血多者。猳猪[2]肉：味苦、酸，冷，无毒。主狂病多日不愈。凡猪肉：味苦，微寒，宜肾，有小毒。补肾气虚弱，不可久食，令人少子精，发宿病，弱筋骨，闭血脉，虚人肌。有金疮者，食之疮尤甚。猪血：平、涩，无毒。主卒下血不止。美清酒和炒服之，又主中风绝伤，头中风眩及诸淋露、奔豚[3]、暴气。

①洞肠：即胴肠，大肠。

②豭猪：公猪。“豭”，又作“豭”。

③奔豚：又称奔豚气，是一种中国古代的病名，指患者自觉有气从少腹上冲胸咽的一种病症。

黄帝云：凡猪肝、肺，共鱼鲙食之，作痈疽。猪肝共鲤鱼肠、鱼子食之，伤人神。豚脑损男子阳道，临房不能行事，八月勿食猪肺及饴，和食之，至冬发疽。十月勿食猪肉，损人神气。

鹿头肉：平，主消渴，多梦妄见[1]者。生血，治痈肿。茎筋，主劳损。蹄肉，平。主脚膝骨中疼痛，不能践地。骨，主内虚，续绝伤，补骨，可作酒。髓，味甘、温。主丈夫妇人伤中、脉绝，筋急痛[2]，咳逆，以酒和服。肾，平，主补肾气。肉，味苦，温，无毒。补中，强五脏，益气力。肉生者，主中风口僻[3]不正，细细剉[4]之，以薄僻上。华佗云：和生椒捣薄[5]之，使人专看之，正则急去之。不尔，复牵向不僻处。

注

①妄见：看到虚幻的事物。

②急痛：拘急痉挛疼痛。

③口僻：口角向一侧歪斜，多为风痰阻络。

④剉：用锉刀磨粉。

⑤薄：涂抹。

角，错[1]取屑一升，白蜜五升溲之，微火熬令小[2]变色，曝干更捣筛，服方寸匕，日三。令人轻身，益气力，强骨髓，补绝伤。

注

①错：用同“锉”“剉”，锉磨。《广雅·释诂三》：“错，磨也。”

②小：稍微，微微。

黄帝云：鹿胆白者，食其肉，害人。白鹿肉不可和蒲白作羹食，发恶疮。五月勿食鹿肉，伤人神气。胡居士云：鹿性惊烈，多别良草。恒[1]食九物，余者不尝。群处必依山冈，产归下泽，飨[2]神用其肉者，以其性烈清净故也。凡饵药之人，不可食鹿肉，服药必不得力。

①恒：持久，一直。

②飨：祭祀。

所以然者[1]，以鹿常食解毒之草，是故能制毒[2]，散诸药故也。九草者，葛叶花、鹿葱、鹿药、白蒿、水芹、甘草、齐头蒿、山苍耳、荠苨。

①所以然者：之所以这样的原因。

②制毒：克制毒性。

獐骨：微温，无毒。主虚损、泄精[1]。肉：味甘，温，无毒。补益五脏。髓：益气力，悦泽人面。獐无胆，所以怯弱多惊恐。黄帝云：五月勿食獐肉，伤人神气。

①泄精：精液自动滑出的病症。

麋脂：味辛，温，无毒。主痈肿、恶疮、死肌[1]、寒热[2]、风寒湿痹，四肢拘缓不收，风头肿气，通腠理，柔皮肤[3]。不可近男子阴，令痿。一名宫脂。十月取。黄帝云：生麋肉共虾汁合食之，令人心痛。生麋肉共雉肉食之，作痼疾。

①死肌：坏死的肌肉。

②寒热：中医学指怕冷发热的症状。

③柔皮肤：使皮肤柔软。

虎肉：味酸，无毒。主恶心欲呕，益气力，止多唾[①]，不可热食，坏人齿。虎头骨，治风邪。虎眼睛，主惊痫[②]。

豹肉：味酸，温，无毒。宜肾，安五脏，补绝伤，轻身益气，久食利人。

①多唾：自觉口中唾液很多，或频频不自主吐唾的表现。

②惊痫：指因受惊而得的痫病。

狸肉：温，无毒。补中，轻身，益气，亦治诸注[①]。黄帝云：正月勿食虎、豹、狸肉，伤人神，损寿。

兔肝：主目暗。肉，味辛，平，涩，无毒。补中益气，止渴。兔无脾[②]，所以能走[③]。盖以属二月建卯木位[④]也，木克土，故无脾焉。马无脾，亦能走也。

①注：以发生在肌肉深部的转移性、多发性脓肿为表现的全身感染性疾病。

②兔无脾：不是指没有脾脏，而是指肝气旺盛。

③能走：擅长奔跑。

④二月建卯木位：古人称北斗星斗柄所指为建，每月移指一个方向，周而复始。因以十一月为建子，故二月建卯。十二地支卯为东方，故云木位。

黄帝云：兔肉和獭肝食之，三日必成遁尸[①]；共白鸡肝、心食之，令人面失色，一年成瘅黄[②]；共姜食，变成霍乱；共白鸡肉食之，令人血气不行。二月勿食兔肉，伤人神气。

①遁尸：一种突然发作、以心腹胀满刺痛、喘急为主症的危重病症。

②瘅黄：黄疸病。

生鼠：微温，无毒。主踒折[①]，续筋补骨，捣薄之，三日一易[②]。

獭肝：味甘，有小毒。主鬼疰[③]、蛊毒，却鱼鲠[④]，止久嗽，皆烧作灰，酒和服之。

獭肉：味甘，温，无毒。主时病疫气[⑤]，牛马时行病。皆煮取汁，停冷服之，六畜灌之。

注

①踒折：骨折。

②易：替换。

③鬼疰：注窜无定处可生的多发性深部脓疡。

④鱼鲠：指鱼骨头卡在喉咙里。

⑤时病疫气：季节性发生具有强烈传染性的外感病邪。

狐阴茎：味甘，平，有小毒。主女子绝产[①]，阴中痒，小儿阴㿉（tuí）[②]卵肿。肉并五脏及肠肚，味苦，微寒，有毒。主蛊毒寒热，五脏痼冷[③]；小儿惊痫；大人狂病见鬼。黄帝云：麝肉共鹄肉食之，作癥瘕[④]。

①绝产：妇女因病而终身不孕，或不再能生育。

②小儿阴（tuí）㿉：小儿睾丸肿大。

③痼冷：寒邪久伏、固滞于肠胃，阳气郁结的病证。

④癥瘕：多因脏腑失调，气血阻滞，瘀血内结引起，气聚为瘕，血瘀为癥。

野猪青蹄，不可食；及兽赤足者不可食；

野兽自死北首伏地[1]不可食；兽有歧[2]尾不可食。家兽自死，共鲙汁食之，作疽疮。十一月勿食经夏臭脯，成水病[3]，作头眩，丈夫阴痿[4]。甲子日勿食一切兽肉，大吉。

注

①自死北首伏地：自然死亡头向北趴在地上。

②歧：分叉。

③水病：指水肿病。

④阴痿：阴痿，病证名，出自《灵枢·经脉》，又称阳痿。

鸟飞投人[1]不肯去者，口中必有物，开看无者，拔一毛放之，大吉。一切禽兽自死无伤处，不可食。三月三日勿食鸟兽五脏及一切果菜五辛[2]等物，大吉。

注

①投人：撞向人。

②五辛：指蒜、葱、兴渠、韭、薤等五种。

丹雄鸡肉：味甘，微温，无毒。主女人崩中漏下，赤白沃[①]；补虚，温中；能愈久伤乏疮不肯瘥者，通神，杀恶毒。

黄雌鸡肉：味酸，咸平，无毒。主伤中，消渴；小便数而不禁[②]，肠澼泄利；补益五脏绝伤五劳，益气力。

①赤白沃：即赤白带，指白带中有血块夹杂其中，显红色。

②小便数而不禁：小便次数多且失去控制。

鸡子黄：微寒。主除热火灼烂、疮、痓。可作虎魄[①]神物。

卵白汁：微寒。主目热赤痛，除心下[②]伏热，止烦满[③]咳逆，小儿泄利，妇人产难，胞衣不出，生吞之。

①虎魄：即琥珀。孙真人本作“琥珀”。

②心下：中医学指膈下胃脘的部位。

③烦满：心烦胸中闷满之症。

白雄鸡肉：味酸，微温，无毒。下气，去狂邪，安五脏，伤中，消渴。

乌雄鸡肉：味甘，温，无毒。补中，止心痛。

黑雌鸡肉：味甘，平，无毒。除风寒湿痹，五缓六急[1]，安胎。

①五缓六急：指肢体活动不利。

黄帝云：一切鸡肉合鱼汁食之，成心瘕[1]。鸡具五色者，食其肉必狂。若有六指四距[2]，玄鸡白头，家鸡及野鸡，鸟生子有文八字，鸡及野鸟死不伸足爪，此种食之害人。鸡子白共蒜食之，令人短气。鸡子共鳖肉蒸食之，害人。鸡肉、獭肉共食作遁尸注[3]，药所不能治。食鸡子啖生葱，变成短气。鸡肉、犬肝肾共食害人。生葱共鸡、犬肉食，令人谷道[4]终身流血。

①心瘕：心中包块。

②距：鸟足后上方突出像趾的部分。《说文·足部》：“距，鸡距也。”

③遁尸注：肌肉深部脓肿。

④谷道：肛门。

乌鸡肉合鲤鱼肉食，生痈疽。鸡、兔、犬肉和食必泄利。野鸡肉共家鸡子食之，成遁尸，尸鬼缠身，四肢百节[①]疼痛。小儿五岁以下饮乳未断者，勿食鸡肉。二月勿食鸡子[②]，令人常恶心。丙午日食鸡、雉肉，丈夫烧死、目盲；女人血死[③]、妄见。四月勿食暴鸡[④]肉，作内疽[⑤]，在胸腋下出漏孔，丈夫少阳，妇人绝孕，虚劳乏气。八月勿食鸡肉，伤人神气。

①百节：指人体各个关节。

②鸡子：鸡蛋。

③血死：失血而死。

④暴鸡：即“抱鸡”，正在伏蛋孵化鸡雏的鸡。

⑤内疽：体内脏器的毒性肿块。

雉肉：酸微，寒，无毒。补中益气，止泄利，久食令人瘦。嘴，主蚁瘘[①]。黄帝云：八月建

酉日食雉肉，令人短气。八月勿食雉肉，损人神气。

白鹅脂：主耳卒聋，消[2]以灌耳。毛，主射工[3]水毒。肉，味辛、平，利五脏。

注

①蚁瘘：脚底生疮，上有细孔，日久不愈。

②消：融化。

③射工：传说的毒虫名。晋张华《博物志》卷三："江南山溪中有射工虫，甲虫之类也。长一二寸，口中有弩形，以气射人影，随所着处发疮，不治则杀人。"

鹜肪：味甘，平，无毒。主风虚寒热。肉，补虚乏，除客热[1]，利脏腑，利水道。黄帝云：六月勿食鹜肉，伤人神气。

鸳鸯肉：味苦，微温，无毒。主瘘疮，清酒浸之，炙令热，以薄之，亦炙服之。又治梦思慕[2]者。

①客热：外来的热邪。

②梦思慕：梦中怀念思念。

雁肪：味甘，平，无毒。主风挛拘急，偏枯[①]，血气不通利。肉，味甘，平，无毒。久服长发、鬓、须、眉，益气不饥，轻身耐暑。黄帝云：六月勿食雁肉，伤人神气。

越燕屎：味辛，平，无毒。主杀蛊毒、鬼注，逐不祥邪气；破五癃，利小便。熬香用之，治口疮。肉不可食之，入水为蛟龙所杀[②]。黄帝云：十一月勿食鼠肉、燕肉，损人神气。

①偏枯：偏瘫，半身不遂。

②入水为蛟龙所杀：进入水中被蛟龙杀害。

石蜜：味甘，平，微寒，无毒。主心腹邪气，惊痫痉，安五脏，治诸不足[①]，益气补中；止腹痛，解诸药毒；除众病，和百药；养脾气；消心烦，食饮不下；止肠澼；去肌中疼痛；治口疮；明耳目。久服强志[②]，轻身，不饥，耐老、延年、神仙。一名石饴。白如膏[③]者良，是今诸山崖处蜜也。青赤蜜，味酸咸，食之令人心烦。其蜂黑色似虻[④]。黄帝云：七月勿食生蜜，令人暴下[5]，发霍乱。

①治诸不足：治疗各种虚证。
②强志：增强意志。
③膏：石膏。
④虻：昆虫的一科，种类很多，身体灰黑色，长椭圆形，头阔，触角短，黑绿色复眼，翅透明。
⑤暴下：急性腹泻。

蜜蜡：味甘，微温，无毒。主下利脓血[1]；补中，续绝伤，除金疮；益气力，不饥耐老。

白蜡：主久泄澼，瘥后重见血者，补绝伤，利小儿。久服轻身不饥。生于蜜房或木石上，恶芫花、百合。此即今所用蜡也。

①下利脓血：病证名，指痢下赤白黏冻。

蝮蛇肉：平，有毒。酿酒，去癞[1]疾，诸九瘘，心腹痛，下结气，除蛊毒。其腹中吞鼠，平，有小毒。主鼠瘘[2]。

原蚕雄蛾： 味咸，温，有小毒。主益精气，强男子阳道，交接不倦，甚治泄精，不用相连者。

①癞：麻风病。

②鼠瘘：病名，即瘰疬。淋巴腺结核症。

鳀鱼： 味甘，无毒。主百病。

鳗鲡鱼： 味甘，大温，有毒。主五痔瘘[1]，杀诸虫。

鳝鱼肉： 味甘，大温，黑者无毒。主补中养血，治沈唇[2]。五月五日取。头骨，平，无毒。烧服，止久利[3]。

①痔瘘：由肛门直肠脓肿破溃或切开排脓口形成的病症。

②沈唇：唇部瘤肿之病症。

③久利：下痢久延不愈。

鲟徒河反**鱼**：平，无毒。主少气吸吸[①]，足不能立地。黄帝云：四月勿食蛇肉、鲟肉，损神害气。

乌贼鱼骨：味咸，微温，无毒。主女子漏下赤白经汁[②]、血闭、阴蚀[③]肿痛、寒热、癥瘕、无子；惊气入腹，腹痛环脐，丈夫阴中痛而肿，令人有子。肉，味酸，平，无毒。益气强志。

①吸吸：指气息短少而不能接续状。多因元气虚衰所致。

②赤白经汁：红白相间的经水。

③阴蚀：症见阴部溃烂，形成溃疡，脓血淋漓，或痛或痒，肿胀坠痛，多伴有赤白带下等。

鲤鱼肉：味甘，平，无毒。主咳逆上气、瘅黄，止渴。黄帝云：食桂竟，食鲤鱼肉害人；腹中宿癥[①]病者，食鲤鱼肉害人。

鲫鱼：味甘，平，无毒。主一切疮，烧作灰，和酱汁敷之，日二。又去肠痈。

注

①宿癥：经久不消的包块。

黄帝云：鱼白目，不可食之；鱼有角，食之发心惊，害人；鱼无肠、胆，食之三年，丈夫阴痿不起，妇人绝孕；鱼身有黑点不可食；鱼目赤，作鲙[①]食，成瘕病，作鲊[②]食之害人。一切鱼共菜食之，作蛔虫、蛲虫；一切鱼尾，食之不益人，多有勾骨，著[③]人咽，害人；鱼有角、白背，不可食。

①鲙：鱼细切作的肴馔。

②鲊：米粉、面粉等加盐和其他作料拌制的切碎的菜，可以贮存。

③著：即“着”，勾住。

凡鱼赤鳞不可食；鱼无腮不可食；鱼无全腮，食之发痈疽。鳙鲌鱼不益人[①]，其尾有毒，治齿痛。鯸鮧鱼有毒，不可食之。二月庚寅日勿食鱼，大恶。五月五日勿以鲤鱼子共猪肝食，必不消化，成恶病。

注

①不益人：对人没有好处。

下利者食一切鱼，必加剧，致困难治；秽饭、鲅[1]肉、臭鱼不可合食之，害人。三月勿食鲛龙肉及一切鱼肉，令人饮食不化，发宿病，伤人神气，失气[2]恍惚。

①鲅：鱼肉腐败。《玉篇·鱼部》："鲅，鱼败也。"
②失气：中医学指过多损耗精气。

鳖肉：味甘，平，无毒。主伤中益气，补不足，疗脚气[1]。黄帝云：五月五日以鳖子共鲍鱼子食之，作瘅黄。鳖腹下成五[2]字，不可食；鳖肉、兔肉和芥子酱食之损人；鳖三足，食之害人；鳖肉共苋、蕨菜食之，作鳖瘕，害人。

①脚气：其症先起于腿脚，麻木，疼痛，软弱无力，或挛急，或肿胀，或萎枯，或胫红肿，发热，进

而入腹攻心，小腹不仁，呕吐不食，心悸，胸闷，气喘，神志恍惚，言语错乱。

②五：元刻本作“王”。

蟹壳：味酸，寒，有毒。主胸中邪热，宿结痛，㖞僻[①]面肿，散[②]漆，烧之致鼠。其黄，解结散血，愈漆疮，养筋益气。黄帝云：蟹目相向，足斑者，食之害人。十二月勿食蟹、鳖，损人神气。

①㖞斜：口眼歪斜

②散：《千金翼》卷四《虫鱼部》作“败”。

又云：龟、鳖肉共猪肉食之，害人；秋果菜共龟肉食之，令人短气；饮酒食龟肉，并菰白菜，令人生寒热。六甲日勿食龟、鳖之肉，害人心神。螺、蚌共菜食之，令人心痛，三日一发。虾鲙共猪肉食之，令人常恶心、多唾，损精色[①]。虾无须，腹下通乌色者，食之害人，大忌，勿轻。十一月、十二月，勿食虾、蚌着

甲[2]之物。

注

①精色：精神、面色。

②着甲：有外壳。

养性

养性序第一

（十条）

扁鹊云：黄帝说昼夜漏下水百刻，凡一刻人百三十五息，十刻一千三百五十息，百刻一万三千五百息。人之居世，数息之间。信哉！呜呼！昔人叹逝[①]，何可不为善以自补耶？吾常思一日一夜有十二时，十日十夜百二十时，百日百夜一千二百时，千日千夜一万二千时，万日万夜一十二万时，此为三十年。

①昔人叹逝：时间流逝极快。《论语·子罕》："子在川上曰：逝者如斯夫，不舍昼夜。"

若长寿者九十年，只得三十六万时。百年之内，斯须之间，数时之活，朝菌蟪蛄[1]不足为喻焉。可不自摄养而驰骋六情，孜孜汲汲，追名逐利，千诈万巧，以求虚誉，没齿[2]而无厌。故养性者，知其如此，于名于利，若存若亡；于非名非利，亦若存若亡，所以没身不殆[3]也。余慨时俗之多僻，皆放逸以殒亡。聊因暇日，粗述养性篇，用奖[4]人伦[5]之道，好事君子与我同志焉。

注

①朝菌蟪蛄：蟪，音huì。蛄，音gū。比喻生命很短。“朝菌”指朝生暮死的菌类，蟪蛄是夏蝉。《庄子·逍遥游》：“朝菌不知晦朔，蟪蛄不知春秋，此小年也。”

②没齿：没，音mò。指死亡。

③没身不殆：终身没有危险。

④奖：辅助，帮助。《左传·襄公十一年》：“救灾患，恤祸乱，同好恶，奖王室。”杜预注：“奖，助也。”

⑤人伦：人类。此指人类的生命。

夫养性者，欲所习以成性，性自为善，不习无不利也。性既自善，内外百病皆悉不生，祸乱灾害，亦无由作，此养性之大经[1]也。善养性者，则治未病之病，是其义也。故养性者，不但饵药餐霞[2]，其在兼于百行；百行[3]周备，虽绝药饵，足以遐年。德行不克[4]，纵服玉液金丹，未能延寿。

注

①大经：常道，常规。
②餐霞：餐食日霞，指修仙学道。
③百行：各方面的修行。
④德行不克：指人的德行不好。

故夫子曰：善摄生者，陆行不遇虎兕[1]，此则道德之祜[2]也，岂假[3]服饵而祈遐年哉！圣人所以药饵者，以救过行之人也。故愚者抱病历年而不修一行，缠疴没齿终无悔心。此其所以岐和[4]长逝，彭跗[5]永归[6]，良有以也。

注

①兕：音 sì，猛兽，形状似犀牛。《尔雅·释兽》：“兕，似牛。”郭璞注曰：“一角，青色，重千金。”
②祜：音 hù，福，大福。《医心方》卷二十七第一

引作“祐”，义长。

③ 假：借。

④岐和：指岐伯、医和。

⑤彭跗：指巫彭、俞跗。

⑥永归：犹言“大归”，指死亡。

嵇康[①]曰：养生有五难：名利不去，为一难；喜怒不除，为二难；声色不去，为三难；滋味不绝，为四难；神虑精散，为五难。五者必存，虽心希难老，口诵至言，咀嚼英华，呼吸太阳，不能不回其操[②]，不夭其年也。五者无于胸中，则信顺日跻，道德日全，不祈善而有福，不求寿而自延。此养生之大旨也。然或有服膺仁义，无甚泰[③]之累者，抑亦其亚欤！

①嵇康：字叔夜（224～263），谯郡铚（今安徽宿县）人。魏晋时著名的文学家、哲学家。长而好老庄之学，性好服食，著《养生篇》三卷，已佚。今有《嵇康集》辑本传世。

②回其操：改变他的操行。

③ 甚泰：指做事超过一定限度。《老子·二十九章》：

“是以圣人去甚、去奢、去泰。”

黄帝问于岐伯曰：余闻上古之人，春秋[①]皆度百岁，而动作不衰。今时之人，年至半百，而动作皆衰者，时代[②]异耶？将[③]人失之也？岐伯曰：上古之人，其知道者，法则阴阳，和于术数，饮食有常节，起居有常度，不妄作劳，故能形与神俱，而尽终其天年[④]，度百岁乃去。

注

①春秋：指年岁。

②代：《素问·上古天真论》作“世”。按避唐太宗李世民讳改“世”为“代”。

③将：抑或。

④天年：人的自然寿命。

今时之人则不然，以酒为浆，以妄为常，醉以入房，以欲竭其精，以耗散其真，不知持满[①]，不时御神[②]，务快其心，逆于生乐[③]，起居无节，故半百而衰也。夫上古圣人之教也，

下皆为之。虚邪贼风，避之有时；恬憺虚无，真气从之；精神内守，病安从来？是以其志闲而少欲，其心安而不惧，其形劳而不倦，气从以顺，各从其欲，皆得所愿。

注

①持满：谓保持精气的充沛。持，守护。

②御神：卫护神气。

③逆于生乐：违背养生的快乐。

故甘其食，美其服，《素问》作美其食，任其服。乐其俗[①]，高下不相慕，故其民日朴[②]。是以嗜欲不能劳其目，淫邪不能惑其心，愚智贤不肖，不惧于物，合于道数，故皆能度百岁而动作不衰者，其德全不危[③]也。是以人之寿夭，在于撙节[④]，若消息[⑤]得所[⑥]，则长生不死；恣其情欲，则命同朝露也。

注

①甘其食，美其服，乐其俗：《老子·八十章》："甘其食，美其服，安其居，乐其俗。"指的是安于其所有。

②日朴：疑为“自朴”。朴，人品质朴厚重。

③德全不危：养生之道完备而无偏颇。

④撙节：撙，音 zūn。调节，节制。

⑤消息：调理。

⑥得所：得宜。

岐伯曰：人年四十而阴气自半也，起居衰矣；年五十体重，耳目不聪明也；年六十阴痿，气力大衰，九窍不利，下虚上实，涕泣俱出。故曰：知[①]之则强，不知则老。同出名异[②]。智者察同，愚者察异[③]；愚者不足，智者有余[④]。

①知：指知道七损八益、全形保性之道。

②同出名异：同时出生在世间，而身体的强弱却不同。

③智者察同，愚者察异：聪明的人在未病之时就注意养生，愚笨的人到了发病之后才注意调理。“同”指健康说；“异”指病老说。

④愚者不足，智者有余：不足与有余都是指对养生的认识。

有余则耳目聪明，身体轻强，年老复壮，

壮者益理[①]。是以圣人为无为之事，乐恬淡[②]之味，能纵欲快志[③]，得虚无之守，故寿命无穷，与天地终。此圣人之治身也。

注

①益理：《素问·阴阳应象大论》作“益治”。按“理”当作“治”，唐代避高宗李治名讳而改。益治，即更加安好。

②恬淡：恬静，平淡。

③纵欲快志：即所谓的“随心所欲”。

春三月，此谓发陈[①]。天地俱生，万物以荣。夜卧早起，广步于庭，被[②]发缓形，以使志生。生而勿杀，与而勿夺，赏而勿罚，此春气之应，养生之道也。逆之则伤肝，夏为寒为变[③]，奉长[④]者少。

注

①发陈：即推陈出新。

②被：通“披”，披散。

③为寒为变：《素问·四气调神大论》作“为寒变”，“寒变”为病名。盖肝木不荣，则心火不旺，而

成“寒变”。

④奉长：即供给夏季心火生长的基础。“奉”，供给的意思。

夏三月，此谓蕃秀[①]。天地气交，万物华实。夜卧早起，毋厌于日[②]。使志无怒，使华英成秀，使气得泄，若所爱在外，此夏气之应，养长之道也。逆之则伤心，秋为痎疟，则奉收者少，冬至重病。

①蕃秀：茂盛而秀美。

②毋厌于日：不要因日长而生厌。

秋三月，此谓容平[①]。天气以急，地气以明。早卧早起，与鸡俱兴。使志安宁，以缓秋刑[②]。收敛神气，使秋气平。毋外其志[③]，使肺气清，此秋气之应，养收之道也。逆之则伤肺，冬为飧泄[④]，则奉藏者少。

注

①容平："容"，从容；"平"，成熟。草木到了秋天已成熟。

②使志安宁，以缓秋刑：安定神志，以避秋日肃杀之气。

③毋外其志：屏绝外虑。

④飧泄：指大便泄泻清稀，并有不消化的食物残渣。

冬三月，此为闭藏[1]。水冰地坼，无扰乎阳。早卧晚起，必待日光。使志若伏若匿，若有私意，若已有得，去寒就温，毋泄皮肤，使气亟夺[2]，此冬气之应，养藏之道也。逆之则伤肾，春为痿厥，则奉生者少。

①闭藏：密闭蛰藏，生机潜伏。

②使气亟夺：此承上文，指的是如果"泄皮肤"，则将使卫气迅速脱失。

天有四时五行，以生长收藏[1]，以寒暑燥湿风。人有五脏，化为五气[2]，以生喜怒悲忧恐。

故喜怒伤气，寒暑伤形；暴怒伤阴[③]，暴喜伤阳。故喜怒不节[④]，寒暑失度，生乃不固。人能依时摄养[⑤]，故得免其夭枉也。

①生长收藏：指生命的休养生息轮候。

②五气：五脏化生的情志活动，即喜、怒、忧、悲、恐。

③阴：阴液，精、血、津、液等各种体液成分的通称。

④喜怒不节：指不控制情绪。

⑤摄养：调养。

仲长统[①]曰：王侯之宫，美女兼千；卿士之家，侍妾数百。昼则以醇酒[②]淋其骨髓，夜则房室[③]输其血气。耳听淫声，目乐邪色，宴内[④]不出，游外[⑤]不返。王公得之于上，豪杰驰之于下。

①钟长统：字公理，东汉山阳高平（今山东金乡）人。曾为曹操谋事。著有《昌言》十二卷。《后汉书》有传。

②醇酒：味浓香郁而纯正的美酒。

③房室：通“房事”。

④宴内：在家中摆宴。

⑤游外：玩出游玩。

及至生产不时，字育[①]太早，或童孺而擅气[②]，或疾病而构精，精气薄恶，血脉不充；既出胞脏，养护无法[③]，又蒸之以绵纩，烁之以五味[④]，胎伤孩病而脆，未及坚刚，复纵情欲，重重相生，病病相孕。国无良医，医无审术[⑤]，奸佐其间，过谬常有，会[⑥]有一疾，莫能自免。当今少百岁之人者，岂非所习不纯正也？

①字育：生育。

②擅气：与下句“构精”互文见义，都指两性交合。

③无法：不合法度。

④蒸之以绵纩，烁之以五味：谓丝绵使元气蒸发，五味使精血销铄。其意为好逸恶劳，肥甘厚腻能伤人身体。

⑤审术：真实可信的医术。《玉篇·采部》：“审，信也。”

⑥会：遭遇。

抱朴子[1]曰：或问：所谓伤之者，岂色欲之间乎？答曰：亦何独斯哉！然长生之要，其在房中[2]。上士知之，可以延年除病，其次不以自伐。若年当少壮，而知还阴丹[3]以补脑，采七益于长俗[4]一作谷者，不服药物，不失一二百岁也，但不得仙耳。不得其术者，古人方之于凌杯[5]以盛汤，羽苞之蓄火。

①抱朴子：晋代医家葛洪的号。葛洪，字稚川，号抱朴子，晋丹阳句容（今江苏句容县）人，著有《肘后备急方》《抱朴子》等。《晋书》有传。

②其在房中：养生的方法用于房中术。

③阴丹：道士炼出的丹药。

④采七益于长俗：《抱朴子·极言》作“采玉液于长谷”。

⑤凌杯：冰杯。凌，即冰。

又且才所不逮而强思之伤[1]也，力所不胜而强举之伤[2]也，深忧重恚[3]伤也，悲哀憔悴伤也，喜乐过度伤也，汲汲[4]所欲伤也，戚戚所患伤也，久谈言笑伤也，寝息失时伤也，挽弓

引弩伤也，沉醉呕吐伤也，饱食即卧伤也，跳足[5]喘乏伤也，欢呼哭泣伤也，阴阳不交伤也。

注

①强思之伤：过度思考而产生的损伤。
②强举之伤：过度用力而产生的伤害。
③恚：怒。
④汲汲：形容急切的样子，表示急于得到的意思。
⑤足：《抱朴子·极言》作“走”，表示长的意思。

积伤至尽[1]，尽则早亡，尽则非道也。是以养性之士，唾不至远，行不疾走，耳不极听，目不极视，坐不久处[2]，立不至疲，卧不至懻[3]。先寒而衣，先热而解；不欲极饥而食，食不可过饱；不欲极渴而饮，饮不欲过多。

注

①尽：损伤到极点。
②久处：《抱朴子·极言》作“至久”。
③懻：音jì，强直。《玉篇·心部》：“懻，北方名强直为懻。”

饱食过多则结积聚[1]，渴饮过多则成痰澼[2]。不欲甚劳，不欲甚佚[3]，不欲流汗[4]，不欲多唾[5]，不欲奔走车马，不欲极目远望，不欲多啖生冷，不欲饮酒当风，不欲数数沐浴，不欲广志远愿，不得[6]规造异巧[7]。

注

①积聚：中医病名。是腹内结块，或痛或胀的病证。

②痰澼：病名。即痰邪澼聚于胸胁之间所致的病证。

③佚："佚"通"逸"，舒闲、安乐。

④流汗：《抱朴子内篇校勘记》引《太平御览》卷六百六十八作"多汗"。

⑤唾：《抱朴子·极言》作"睡"。

⑥不得：即"不欲"，不要。

⑦规造异巧：筹划奇异奇怪的行为。规造，筹划制作。

冬不欲极[1]温，夏不欲穷凉；不欲露卧星月，不欲眠中用扇[2]；大寒、大热、大风、大雾皆不欲冒[3]之。五味不欲偏多，故酸多则伤脾，苦多则伤肺，辛多则伤肝，咸多则伤心，甘多则伤肾，此五味刻[4]五脏，五行自然之理也。

注

①穷：极。

②用扇：《抱朴子·极言》作“见肩”。

③冒：接触，触冒。

④刻：通“克”。

凡言伤者，亦不即觉也，谓久即损寿耳。是以善摄生[①]者，卧起有四时[②]之早晚，兴居有至和之常制[③]；调利筋骨，有偃仰[④]之方；祛疾闲[⑤]邪，有吐纳之术；流行荣卫，有补泻之法；节宣劳逸，有与夺之要。忍怒以全阴，抑喜以养阳。然后先服草木以救亏缺，后服金丹以定无穷，养性之理，尽于此矣。

注

①善摄生：善于养生的人。

②四时：四季。

③常制：通常的制度。

④偃仰：俯仰，引申为导引之类的运动。

⑤闲：去除。

夫欲快意任怀，自谓达识知命，不泥异端，

极情肆力，不劳持久[①]者，闻此言也，虽风之过耳，电之经目，不足喻也。虽身枯于留连[②]之中，气绝于绮纨[③]之际，而甘心焉，亦安可告之以养性之事哉！非惟不纳，乃谓妖讹也。而望彼信之，所谓以明鉴[④]给矇瞽[⑤]，以丝竹[⑥]娱聋夫者也。

①不劳持久：《抱朴子·极言》作“不营久生”。指长的意思。

②留连：《抱朴子·极言》作“流连”。指耽于游乐而忘返。

③绮纨：本义为精美的丝织品，此代指女性。

④鉴：即镜子。古称“鉴”。

⑤矇瞽：音méng gǔ，盲人。

⑤丝竹：泛指音乐。

魏武[①]与皇甫隆令曰：闻卿年出百岁，而体力不衰，耳目聪明[②]，颜色和悦，此盛事也。所服食、施行、道引，可得闻乎？若有可传，想可密示封内。隆上疏对曰：臣闻天地之性，惟人为贵；人之所贵，莫贵于生。唐荒[③]无始，劫运无穷。人生其间，忽如电过[4]。每一思此，罔然[5]心热。

注

①魏武：即曹操。三国魏政治家、军事家。死后被追尊为“太祖武皇帝”，故世称“魏武”。

②耳目聪明：耳朵、眼睛反应灵敏，形容头脑清楚，眼光敏锐。

③唐荒：当作“荒唐”，《庄子·天下》：“谬悠之说，荒唐之言，无端崖之辞。”“荒唐”与“无端崖”义近，谓广大无边，无终无始。

④忽如电过：形容时光流逝。

⑤罔然：失意的样子，心中若有所失的样子。

生不再来，逝不可追，何不抑情养性以自保惜？今四海垂[1]定，太平之际，又当须展才布德，当由万年[2]；万年无穷，当由修道；道甚易知，但莫能行。臣常闻道人蒯京已年一百七十八，而甚丁壮[3]。言人当朝朝服食玉泉、琢齿[4]，使人丁壮有颜色[5]，去三虫而坚齿。玉泉者，口中唾也。朝旦未起，早漱津令满口乃吞之；琢齿二七遍。如此者乃名曰练精。

①垂：将及。

②当由万年：犹言“当须长寿”。

③丁壮：强壮。

④琢齿：叩齿，即上下齿相叩击。

⑤颜色：颜面有光泽。

嵇康云：穰岁[①]多病，饥年[②]少疾。信哉不虚！是以关中土地，俗好俭啬[③]，厨膳肴馐[④]，不过菹酱而已，其人少病而寿；江南岭表，其处饶足，海陆鲑肴，无所不备，土俗多疾而人早夭[⑤]。

①穰岁：穰，音 ráng，指丰收之年。

②饥年：荒年。《尔雅·释天》：“饥，谷不熟为饥。”

③啬：节省，节俭。

④馐：美味的食品。

⑤早夭：指未成年而死。

北方仕子，游宦至彼，遇其丰赡，以为福

佑所臻。是以尊卑长幼，恣口食啖[1]；夜长醉饱，四体热闷，赤露眠卧，宿食不消。未逾期月[2]，大小皆病。或患霍乱[3]脚气胀满，或寒热疟痢，恶核疔肿，或痈疽[4]痔漏，或偏风猥退，不知医疗，以至于死。凡如此者，比肩皆是，惟云不习水土，都不知病之所由。静言思之，可谓太息[5]者也。学者先须识此，以自诫慎。

①食啖：饭食清淡。

②期月：一整月。

③霍乱：指的是一种上吐下泻的胃肠道感染。

④痈疽：毒疮，皮肤的毛囊和皮脂腺成群受细菌感染所致的化脓性炎症。

⑤太息：亦作“大息”。大声长叹，深深地叹息。

抱朴子曰：一人之身，一国之象[1]也。胸腹之位，犹[2]宫室也；四肢之列，犹郊境[3]也；骨节之分，犹百官也。神犹君也，血犹臣也，气犹民也，知治身则能治国也。夫爱其民，所以安其国；惜其气，所以全[4]其身。民散则国亡，气竭[5]则身死。死者不可生也，亡者不可存也。

注

①象：形状，样子。

②犹：好像。

③郊境：城邑之郊区。

④全：保全。

⑤气竭：精气衰竭。

是以至人消未起之患[1]，治未病[2]之疾，医之于无事之前，不追于既[3]逝之后。夫人难养而易危也，气难清而易浊也，故能审威德所以保社稷[4]，割嗜欲所以固血气，然后真一[5]存焉，三一[6]守焉，百病[7]却焉，年寿延焉。

①患：灾祸，祸患。

②未病：还没有出现症状的疾病。

③既：已经。

④社稷：社稷，这里表示人体。

⑤真一：指本性。

⑥三一：道家术语，指精、气、神。混三为一，而称“三一”。《抱朴子·地真》作“三七”，指三魂七魄。

⑦百病：所有疾病的统称。

道林养性第二

养性

真人曰：虽常服饵[①]而不知养性之术，亦难以长生也。养性之道，常欲小劳，但莫大疲及强[②]所不能堪耳。且流水不腐，户枢不蠹[③]，以其运动故也。养性之道，莫久行久立，久坐久卧，久视久听。盖以久视伤血，久卧伤气，久立伤骨，久坐伤肉，久行伤筋也。仍莫强食，莫强酒，莫强举重，莫忧思，莫大怒，莫悲愁，莫大惧，莫跳踉[④]，莫多言，莫大笑。

注

①饵：药物。

②强：强迫，过度。

③流水不腐，户枢不蠹：常流的水不发臭，常转的门轴不遭虫蛀。比喻经常运动，生命力才能持久，才有旺盛的活力。

④跳踉：踉，音liáng。跳跃。亦作“跳梁”。《字汇·足部》：“踉，跳踉，勇跃貌。”

勿汲汲于所欲，勿悁悁[1]怀忿恨，皆损寿命。若能不犯[2]者，则得长生也。故善摄生者，常少思、少念、少欲、少事、少语、少笑、少愁、少乐、少喜、少怒、少好、少恶。行此十二少者，养性之都契[3]也。

注

①悁悁：悁，音yuān，忿怒的样子。

②犯：触发。

③都契：总的要领。

多思则神殆[1]，多念则志散，多欲则志昏[2]，多事则形劳，多语则气乏，多笑则脏伤，多愁则心慑，多乐则意溢，多喜则忘错昏乱，多怒则百脉[3]不定，多好则专迷不理，多恶则憔悴无欢。此十二多不除，则荣卫失度，血气妄行，丧生之本也。惟无多无少者，几于道矣。是知勿外缘[4]者，真人初学道之法也。若能如此者，可居温疫[5]之中，无忧疑矣。

注

①殆：困乏，疲惫。
②志昏：神志昏蒙。
③百脉：全身血脉的总称。
④外缘：指人与外界发生的各种接触与联系。
⑤温疫：是感受疫疠之邪而发生的多种急性传染病的统称。

既屏外缘，会须守五神肝心脾肺肾，从四正言行坐立。言最不得浮思妄念[1]，心想欲事[2]，恶邪大起。故孔子曰：思无邪也。常当习黄帝内视法[3]，存想思念，令见五脏如悬磬[4]，五色了了分明勿辍[5]也。

① 妄念：一切自己挥之不去的想法，但是又要必须依靠别人（物）才能完成（实现）的念头（想法）。

②欲事：男女情欲之事。

③内视法：气功功法之一。即意视身体某个部位的功法。

④悬磬：室中悬挂磬，原本用来比喻极贫，空无所有。此处指洞见五脏之内。

⑤辍：停止。

仍可每旦初起，面向午[①]，展两手于膝上，心眼观气，上入顶，下达涌泉，旦旦如此，名曰迎气。常以鼻引气，口吐气，小微吐之，不得开口，复欲得出气少，入气多。每欲食，送气入腹，每欲食气为主人也。

①午：指正南方。子、午、卯、酉，各指北、南、东、西四方。

凡心有所爱，不用深[①]爱；心有所憎，不用深憎，并皆损性伤神[②]。亦不可用深赞，亦不可用深毁，常须运心[③]于物平等。如觉偏颇，寻改正之。居贫勿谓[④]常贫，居富勿谓常富，居贫富之中，常须守道，勿以[5]贫富易志改性。

注

①深：过度。

②伤神：耗损精神。

③运心：用心，动心。

④谓：说。

⑤勿以：不要因为。

识达道理，似不能言；有大功德[1]，勿自矜伐[2]。美药[3]勿离手，善言勿离口，乱想勿经心。常以深心至诚，恭敬于物，慎勿诈善[4]，以悦于人。终身为善，为人所嫌，勿得起恨。事君尽礼，人以为谄[5]，当以道自平其心。

①功德：指功业与德行。

②矜伐：恃才夸功，夸耀。

③美药：上等的药材。

④诈善：假装为善。

⑤人以为谄：人们认为是谄媚。

道之所在，其德不孤，勿言行善不得善报，以自怨仇。居处勿令心有不足，若有不足，则自抑[①]之，勿令得起。人知止足[②]，天遗其禄。所至之处，勿得多求，多求则心自疲而志苦。若夫人之所以多病，当由不能养性。平康之日，谓言常然，纵情恣欲[③]，心所欲得，则便为之，不拘禁忌，欺罔幽明[④]，无所不作。自言适性，不知过后一一皆为病本。

①抑：抑制

②止足：知足。

③纵情恣欲：指不能自我约束。

④幽明：人与鬼神。

及两手摸空，白汗[①]流出，口唱皇天，无所逮及，皆以生平粗心，不能自察，一至于此。但能少时内省身心，则自知见行之中皆长诸疴，将知四百四病，身手自造，本非由天。及一朝病发，和缓[②]不救。方更诽谤[③]医药无效，神仙无灵。故有智之人，爱惜性命者，当自思念，

深生耻愧[4]。诫勒[5]身心，常修善事也。

注

①两手摸空，白汗流出：皆重病的样子。“两手摸空”为神志不清之态，也作“两手掇空”；“白汗”乃气脱证之大汗。

②和缓：指春秋时代秦国名医医和、医缓。

③诽谤：说人坏话，诋毁和破坏他人名誉。

④耻愧：羞愧。

⑤诫勒：告诫约束。亦作“诫勅”。

至于居处，不得绮靡[1]华丽，令人贪婪无厌，乃患害之源。但令雅素净洁，无风雨暑湿为佳；衣服器械，勿用珍玉金宝，增长过失，使人烦恼根深；厨膳勿使脯肉丰盈，当令俭约为佳。然后行作鹅王步[2]，语作含钟声，眠作狮[3]子卧右胠胁着地坐脚也，每日自咏歌云：美食须熟嚼，生食不粗吞。问我居止处，大宅总林村。胎息守五脏，气至骨成仙。又歌曰：日食三个毒[4]，不嚼而自消。锦绣为五脏，身着粪扫袍。

注

①绮靡：侈丽，浮华。

②行作鹅王步：指步态从容稳健。山田业广引况斋先生曰："《法苑珠林·占相部·现在》引《胜天王经佛自说》云'八十种好者'云云，'二十九，行步如鹅王'。"

③狮：原作"师"，据元刻本、道藏本、四库本、后藤本改。

④毒：疑为"枣"之误。

修心既平，又须慎[1]言语。凡言语读诵，常想声在气海[2]中脐下也。每日初入后，勿言语读诵，宁待平旦也。旦起欲专言善事，不欲先计校[3]钱财；又食上不得语，语而食者，常患胸背痛；亦不用寝卧多言笑，寝不得语言者，言五脏如钟磬[4]，不悬则不可发声；行不得语，若欲语须住[5]乃语，行语则令人失气。冬至日止可语，不可言。自言曰言，答人曰语。言有人来问，不可不答，自不可发言也、仍勿触冷开口大语为佳。

注

①慎：小心，谨慎。

②气海：在下腹部。前正中线上，当脐中下1.5寸。

③计校：同“计较”。

④磬：古代打击乐器，形状像曲尺，用玉、石制成，可悬挂。

⑤住：停下脚步。

言语既慎，仍节饮食。是以善养性[1]者，先饥而食，先渴而饮；食欲数而少，不欲顿而多，则难消[2]也。常欲令如饱中饥，饥中饱耳。盖饱则伤肺，饥则伤气，咸则伤筋，醋则伤骨。故每学淡食，食当熟[3]嚼，使米脂入腹，勿使酒脂入肠。人之当食，须去烦恼暴数为烦，侵触为恼。

注

①养性：使心智本性不受损害。

②消：消化。

③熟：仔细地。

如食五味，必不得暴嗔[1]，多令人神惊，夜梦飞扬；每食不用重[2]肉，喜生百病；常须少食肉，多食饭及少菹菜，并勿食生菜、生米、小豆、陈臭物；勿饮浊酒[3]食面，使塞气孔[4]；勿食生肉，伤胃，一切肉惟须煮烂，令停冷食之，食毕当漱口数过，令人牙齿不败[5]、口香；热食讫，以冷醋浆漱口者，令人口气常臭，作䘌齿病。又诸热食咸物后，不得饮冷醋浆水，喜失声，成尸咽。

①嗔：怒，生气。

②重：注重。

③浊酒：呈浑浊状的酒。

④气孔：肛门。

⑤败：毁坏。

凡热食汗出，勿当风，发痉[1]头痛，令人目涩多睡。每食讫[2]，以手摩面及腹，令津液通流。食毕，当行步踌躇，计使中[3]数里来，行毕使人以粉摩腹上数百遍，则食易消，大益人，

令人能饮食，无百病，然后有所修为[4]为快也。饱食即卧，乃生百病，不消成积聚；饱食仰卧，成气痞，作头风。触寒来者，寒未解食热食，成刺风。

注

①痉：肌肉收缩、手脚抽搐的现象。
②讫：完结，终了。
③中：音 zhòng，足，满。
④修为：修行。

人不得夜食，又云：夜勿过醉饱食，勿精[1]思为劳苦事，有损余虚，损人。常须日在巳时[2]食讫，则不须饮酒，终身无干呕。勿食父母本命所属[3]肉，令人命不长；勿食自己本命所属肉，令人魂魄飞扬。勿食一切脑，大损[4]人。

注

①精：过度地。
② 巳时：指上午 9 时至上午 11 时。
③ 属：十二生肖。

④损：损害，损坏。

茅屋漏水堕[1]诸脯肉上，食之成瘕结[2]。凡暴[3]肉作脯不肯干者，害人；祭神肉无故自动，食之害人；饮食上蜂行住，食之必有毒，害人。腹内有宿病[4]，勿食鲮鲤鱼肉，害人。湿食及酒浆临上看之，不见人物影者，勿食之，成卒注[5]；若已食腹胀者，急以药下之。

①堕：落在。
②瘕结：肚子里结块的病症。
③暴：通“曝”，用太阳晒。
④宿病：旧病。
⑤卒注：卒，突然；注，同“驻”，不动，患病之意。

每十日一食葵，葵滑，所以通五脏拥气，又是菜之主，不用合心食之。又饮酒不欲使[1]多，多则速吐之为佳，勿令至醉，即终身百病不除。久饮酒者，腐烂肠胃，渍髓蒸筋，伤神损寿。

注

①使：饮用。

醉不可以当风向阳，令人发强；又不可当风卧，不可令人扇[1]之，皆即得病也；醉不可露卧及卧黍穰中，发癞疮[2]；醉不可强食，或发痈疽，或发喑，或生疮；醉饱不可以走车马及跳踯；醉不可以接房，醉饱交接，小者面皯[3]、咳嗽，大者伤绝藏脉损命。

注

①扇：摇动生风取凉的用具，这是指摇扇。
②癞疮：指恶疮、顽癣。
③皯：黑色。

凡人饥欲[1]坐小便，若饱则立小便，慎之无病。又忍尿不便，膝冷成痹[2]，忍大便不出，成气痔[3]。小便勿努[4]，令两足及膝冷；大便不用[5]呼气及强努，令人腰疼目涩，宜任之佳。

注

①欲：应该。

②痹：中医学指由风、寒、湿等引起的肢体疼痛或麻木的病症。

③痔：是一种位于肛门部位的常见疾病。

④努：用力。

⑤不用：不要。

凡遇山水坞[1]中出泉者，不可久居，常食作瘿病[2]。又深阴地冷水不可饮，必作痎疟[3]。饮食以调，时慎脱着[4]。凡人旦起着衣，反者便着之吉。衣光者当户三振之，曰殃去，吉。湿衣及汗衣皆不可久着，令人发疮及风瘙[5]。大汗能易衣佳；不易者急洗之，不尔，令人小便不利。凡大汗勿偏脱衣，喜得偏风半身不遂。春天不可薄衣，令人伤寒霍乱、食不消、头痛。脱着既时，须调寝处。

①水坞：水边建筑的停船或修造船只的地方。

②瘿病：中医学病证名。以颈前喉结两旁结块肿大为基本临床特征。

③痎疟：疟疾的通称。

④脱着：脱衣，穿衣。

⑤瘙：瘙痒。

凡人卧，春夏向东，秋冬向西。头勿北卧[①]，及墙北亦勿安床。凡欲眠勿歌咏[②]，不祥起。上床坐先脱左足[③]，卧勿当舍脊下；卧讫勿留灯烛，令魂魄及六神不安，多愁怨；人头边勿安[④]火炉，日久引火气，头重[⑤]目赤，睛及鼻干；夜卧当耳勿有孔，吹人即耳聋；夏不用露面卧，令人面皮厚，喜成癣，或作面风；冬夜勿覆头[⑥]，得长寿。

①头勿北卧：头向北睡觉。

②歌咏：唱歌。

③先脱左足：先脱左脚的鞋。

④安：安置。

⑤头重：头脑昏沉。

⑥覆头：盖着头部。

凡人眠勿以脚悬踏高处，久成肾水及损房；足冷人每见十步直墙，勿顺墙卧，风利吹人，发癫[①]及体重[②]。人汗[③]，勿跂[④]床悬脚，久成血痹，两足重，腰疼；又不得昼眠，令人失气；卧勿大语，损人气力；暮卧常习闭口，口开即失气，且邪恶从口入，久而成消渴及失血色。屈膝侧卧，益人气力，胜正偃卧。按孔子不尸卧[⑤]，故曰：睡不厌蹴[⑥]，觉不厌舒。凡人舒睡则有鬼痛魔邪[⑦]。

①癫：精神错乱失常。

②体重：身体四肢沉重。

③汗：此处疑误为“卧”。

④跂：音qì。垂足而坐。《广韵·实韵》：“跂，垂足坐。”

⑤尸卧：如尸体般地躺卧。

⑥蹴：音cù，通“蹙”，缩拢，此指侧身蜷卧。

⑦凡人舒睡则有鬼痛魔邪：《医心方》卷二十七第七引作：“凡人舒睡则有鬼物魔邪得便，故遂觉时乃可舒耳。”

凡眠先卧心[①]后卧眼[②]，人卧一夜当作五度。反覆常逐更转。凡人夜魇[③]，勿燃灯唤之，定死无疑，暗唤[④]之吉；亦不得近而急唤。夜梦恶不须说，且以水面东方噀[⑤]之，咒曰：恶梦着草木，好梦成宝玉。即无咎矣。又梦之善恶，并勿说为吉。

注

①卧心：静心。

②卧眼：闭眼。

③夜魇：梦游症。

④暗唤：小声呼唤。

⑤噀：含在口中而喷出。

衣食寝处皆适[①]，能顺时气[②]者，始尽养生之道。故善摄生者，无犯日月之忌[③]，无失岁时之和。须知一日之忌，暮无饱食；一月之忌，晦无大醉；一岁之忌，暮[④]无远行；终身之忌，暮[⑤]无然烛行房。暮常护气也。

注

①适：适用。

②顺时气：顺应自然。
③日月之忌：一天、一个月的忌讳。
④暮：年末。
⑤暮：年老之时。

凡气冬至起于涌泉[①]，十一月至膝，十二月至股，正月至腰，名三阳成；二月至膊，三月至项，四月至顶，纯阳用事，阴亦放[②]此。故四月、十月不得入房，避阴阳纯用事之月也。每冬至日于北壁下厚铺草而卧，云受元气[③]。每八月一日已后，即微火暖足，勿令下冷无生意，常欲使气在下，勿欲泄于上。

①涌泉：涌泉穴是足少阴肾经的常用腧穴之一，位于足底部。
②放：音 fǎng，仿效。《广雅·释诂三》："放，效也。"
③元气：构成生命与自然的基本物质观念。

春冻未泮[①]，衣欲下厚上薄。养阳收阴，继世长生；养阴收阳，祸至灭门。故云：冬时天地气闭，血气伏藏，人不可作劳出汗，发泄阳气，有损于人也。又云：冬日冻脑，春秋脑足俱冻，此圣人之常法也。春欲晏卧早起，夏及秋欲侵夜[2]乃卧早起，冬欲早卧而晏起[3]，皆益人。虽云：早起，莫在鸡鸣前；虽言晏起，莫在日出后。

注

①泮：音pàn，散。《玉篇·水部》：“泮，散也，破也。”此指冰消融。

②侵夜：入夜，夜晚。

③晏起：晚起。

凡冬月忽有大热之时，夏月忽有大凉之时，皆勿受之。人有患天行时气者，皆由犯此也。即须调气息，使寒热平和，则免患也。每当腊日[1]勿歌舞，犯者必凶。常于正月寅日，烧白发吉。凡寅日剪手甲，午日剪足甲，又烧白发吉。

①腊日：古时腊祭之日。农历十二月初八。

养性

居处法第三

凡人居止之室，必须周密，勿令有细隙，致有风气得入。小觉有风，勿强忍[①]之，久坐必须急急避之；久居不觉，使人中风。古来忽得偏风，四肢不随，或如角弓反张[②]，或失音不语者，皆由忽此耳。身既中风，诸病总集，邪气得便，遭此致卒者，十中有九。是以大须周密，无得轻之，慎焉慎焉！所居之室，勿塞井及水渎，令人聋盲。

注

①强忍：强行忍耐。

②角弓反张：指项背高度强直，使身体仰曲如弓状的病症。

凡在家及外行，卒逢大飘风[①]、暴雨震电[②]、昏暗大雾，此皆是诸龙鬼神行动经过所致。宜入室闭户，烧香静坐，安心以避之，待过后乃出，不尔损人。或当时虽未苦，于后不佳矣。又阴雾中亦不可远行。

凡家中有经像[③]，行来先拜之，然后拜尊长，每行至则峻坐焉。

注

①飘风：旋风，暴风。《尔雅·释天》："迴风为飘。"郭璞注："旋风也。"

②震电：雷电。"震"，疾雷。《说文·雨部》："震，劈历（霹雳）振物者。"

③经像：佛像。

凡居家，不欲数沐浴。若沐浴必须密室，不得大热，亦不得大冷，皆生百病。冬浴不必汗出霡霂[①]，沐浴后不得触风冷；新沐发讫，勿当风，勿湿萦髻[②]，勿湿头卧，使人头风眩闷，发秃面黑，齿痛耳聋，头生白屑。

①霡霂：音 mài mù，汗流的样子。白居易《香山寺石楼潭夜浴》诗："摇扇风甚微，褰裳汗霡霂。"

②萦髻：缠扎发髻。

饥忌浴，饱忌沐。沐讫，须进少许食饮乃出。夜沐发，不食即卧，令人心虚，饶[①]汗、多梦。又夫妻不用同日沐浴，常以晦日浴，朔日沐，吉。凡炊汤经宿，洗人体成癣[②]，洗面无光，洗脚即痛，作甑[③]畦疮。热泔洗头，冷水濯之，作头风；饮水沐头，亦作头风时行病。新汗解，勿冷水洗浴，损心包不能复。

①饶：多。

②癣：由霉菌引起的某些皮肤病的统称，患处常发痒。

③甑：古代蒸饭的一种瓦器。

凡居家，常戒约内外长幼，有不快[①]即须早道，勿使隐忍[②]以为无苦。过时不知，便为重病，遂成不救。小有不好，即按摩挼捺，令面节通利，泄其邪气。凡人无问有事无事，常须日别蹋脊背四肢一度。头项苦，令熟蹋[③]，即风气时行不能着人。此大要妙，不可具论。

①不快：身体不适。

②隐忍：默默忍耐。

③常须日别蹋脊背四肢一度。头项苦，令熟蹋：《医心方》卷二十七第五引作："恒须日别一度遣人踏背及四肢、颈项，若令熟踏。"义长。"蹋"，同"踏"。

凡人居家及远行，随身常有熟艾一升，备急丸、辟鬼丸、生肌药、甘[①]湿药、疔肿药、水银、大黄、芒硝、甘草、干姜、桂心、蜀椒。不能更蓄余药[②]，此等常不可阙少。及一两卷百一备急药方，并带辟[③]毒、蛇、蜂、蝎毒药随身也。

注

①甘：同“疳”。

②不能更蓄余药：此为假设句，谓“如果不能再备蓄他药”。

③辟：驱散。

凡人自觉十日已上康健，即须灸三数穴以泄风气。每日必须调气补泻，按摩道[1]引为佳。勿以康健便为常然。常须安不忘危，预防诸病也。灸法当须避人神人神禁忌法在第二十九卷中。凡畜手力细累[2]，春秋皆须与转泻药一度，则不中天行时气也。

①导：原作“道”，据道藏本改。按“道”，通“导”。

②手力细累：指佣仆与家眷。“手力”，古时官府中担任杂役的差役；“细累”，指妻妾儿女等眷属。“细”，幼儿；“累”，家眷。

养性

按摩法第四

（法二首）

天竺国[①]按摩

此是婆罗门[②]法。

两手相捉扭捩[③]，如洗手法。

两手浅相叉，翻覆向胸。

两手相捉，共按胫，左右同。

两手相重按髀[④]，徐徐捩身，左右同。

以手如挽五石力弓，左右同。

作拳向前筑，左右同。

如拓石法，左右同。

注

①天竺国：印度的古称。

②婆罗门：古印度四大种姓之一，其位居首。唐玄奘《大唐西域记》："印度种姓族类群分，而婆罗门特为清贵，从其雅称，传以成俗，无云经界之别，总谓婆罗门国焉。"故又为古印度的别称。

③纽捩：同义复词，扭转。"纽"，同"扭"，扭转。"捩"，音liè，扭转。《玉篇·手部》："捩，拗捩也。"

④髀：音bì，同"髀"，大腿。《字汇补·肉部》："髀，与髀同，股也。"下同。

作拳却顿[1]，此是开胸法，左右同。

大坐[2]，斜身偏欹如排山，左右同。

两手抱头，宛转髀上，此是抽胁。

两手据[3]地，缩身曲脊，向上三举。

以手反捶背上，左右同。

大坐伸两脚，即以一脚向前虚掣，左右同。

两手拒[4]地回顾，此是虎视法，左右同。

立地反拗[5]身三举。

注

①却顿：向后侧用力振作。按此动作类似今之弯肘的扩胸运动。

②大坐：正坐。

③据：按着。《广雅·释诂三》："据，按也。"

④拒：撑抵。按此动作应是俯身撑地的姿势。

⑤反拗：此动作应是头仰脊背后弯。

两手急相叉，以脚踏手中，左右同。

起立，以脚前后虚踏，左右同。

大坐伸两脚，用当相手[①]勾所申[②]脚，着膝中，以手按之，左右同。

右十八势，但是老人日别能依此三遍者，一月后百病除，行及奔马，补益延年，能食、眼明、轻健、不复疲乏。

注

①当相手：指同侧手。

②申：同"伸"。下同。

老子按摩法

两手捺脞，左右捩身二七遍。

两手捻脞，左右扭肩二七遍。

两手抱头，左右扭腰二七遍。

左右挑头[①]二七遍。

一手抱头，一手托膝[②]，三折[③]，左右同。

两手托头，三举之。

一手托头，一手托膝，从下向上三遍，左右同。

两手攀头下向三顿足。

①左右挑头：谓头从左侧低下，右侧抬起；右侧低下，左侧抬起。

②托膝：用手掌承着膝部。“膝”本为大腿与小腿相连的前部，此托膝当为托着膝盖后面的腿弯，即腘部。

③三折：指头与躯干、躯干与大腿、大腿与小腿形成的三个弯曲处。

两手相捉头上过[①]，左右三遍。

两手相叉托心前，前推却挽[②]三遍。

两手相叉，着心三遍。

曲腕筑[③]肋挽肘，左右亦三遍。

左右挽，前后拔[④]，各三遍。

舒手挽项，左右三遍。

反手着膝，手挽肘，覆手着膝上，左右亦三遍。

手摸肩从上至下使遍，左右同。

注

①两手相捉头上过：两手互相抓住，向一侧尽力移动。其效果类似今之侧身运动。

②前推却挽：交叉两手，掌心向前推出，再向内收回。“挽”，牵引。

③筑：叩击。《说文·木部》：“筑，捣也。”

④左右挽，前后拔：左右侧身运动和仰体、俯身运动。

两手空拳筑[①]三遍。

外振手三遍，内振三遍，覆手振亦三遍。

两手相叉，反覆搅[②]，各七遍。

摩扭指三遍。

两手反摇三遍。

两手反叉，上下扭肘无数，单用十呼。

两手上耸三遍。

①两手空拳筑：类似今之冲拳运动。

②搅：指搅拌动作。

两手下顿三遍。

两手相叉头上过，左右申肋十遍。

两手拳反背上，掘脊上下亦三遍。掘，揩之也。

两手反捉[①]，上下直脊三遍。

覆掌搦[②]腕内外振三遍。

覆掌前耸三遍。

覆掌两手相叉，交横三遍。

①捉：扣。

②搦：握，持，拿着。

覆掌横直，即耸三遍。

若有手患冷，从上打[①]至下，得热便休。

舒左脚，右手承之，左手捺[②]脚耸上至下，直脚三遍；右手捺脚，亦尔。

前后捩足三遍。

左捩足，右捩足，各三遍。

前后却捩足三遍。

注

①打：拍打。

②捺：用手按。

直脚三遍。

扭髀三遍。

内外振脚三遍。

若有脚患冷者，打热便休。

扭髀以意多少，顿脚三遍。

却直脚三遍。

虎据[①]，左右扭肩三遍。

注

①虎据：即“虎踞”，如虎蹲踞。“据”当作“踞”。

推天托地，左右三遍。

左右排山、负山拔木各三遍。

舒手直前顿申手三遍。

舒两手两膝亦各三遍。

舒脚直反，顿申手三遍。

捩内脊、外脊各三遍。

调气法第五

养性

彭祖[①]曰：道不在烦，但能不思衣食，不思声色，不思胜负，不思曲直，不思得失，不思荣辱；心无烦，形勿极[②]，而兼之以导引，行气不已，亦可得长年，千岁不死。凡人不可无思，当以渐遣除之。

注

①彭祖：传说中的人物。因封于彭，因此而名。善养生，有导引之术，活到八百岁。

②极：疲倦。

彭祖曰：和神导气之道，当得密室，闭户安床暖席，枕高二寸半，正身偃卧，瞑目[1]，闭气于胸膈中，以鸿毛[2]着鼻上而不动，经三百息，耳无所闻，目无所见，心无所思。如此则寒暑不能侵，蜂虿不能毒，寿三百六十岁，此邻于真人也。

①瞑目：闭上眼睛，多指人死时无所牵挂。

②鸿毛：鸿雁的毛。

每旦夕旦夕者，是阴阳转换之时。凡旦五更初暖气至，频申[1]眼开，是上生气至，名曰：阳息而阴消；暮日入后冷气至，凛凛然时乃至床坐睡倒，是下生气至，名曰：阳消而阴息。且[2]五更初暖气至，暮日入后冷气至，常出入天地日月、山川河海、人畜草木，一切万物体中代谢往来，无一时休息。一进一退，如昼夜之更迭，如海水之朝汐，是天地消息[3]之道也。

①频申：有作“频频”。

②且：有将“且”作“旦”。

③消息：消长。

面向午[①]，展两手于脚膝上，徐徐按捺肢节，口吐浊气，鼻引清气。凡吐者，去故气，亦名死气；纳者，取新气，亦名生气，故《老子经》云：玄牝之门[②]，天地之根，绵绵若存，用之不勤。言口鼻天地之门，可以出纳阴阳死生之气也。良久，徐徐乃以手左托、右托、上托、下托、前托、后托，瞋[③]目张口，叩齿摩眼，押头拔耳，挽发放腰，咳嗽发阳振动也。双作只作，反手为之，然后掣足仰振，数八十、九十而止。

①午：代指正南方。

②玄牝之门：玄牝指不死之处。

③瞋：音 chēn，睁大眼睛。《说文·目部》：“瞋，张目也。”孙真人本作“瞑”。

仰下徐徐定心，作禅观[①]之法，闭目存思[②]，想见空中太和元气，如紫云成盖，五色分明，下入毛际，渐渐入顶，如雨初晴，云入山。透皮入肉，至骨至脑，渐渐下入腹中，四肢五脏皆受其润，如水渗入地，若彻则觉腹中有声汩汩[3]然，意专存思，不得外缘[4]，斯须即觉元气达于气海，须臾则自达于涌泉，则觉身体振动，两脚蜷曲，亦令床坐有声拉拉然[5]，则名一通。

①禅观：佛家修持方法之一。默坐敛心，专注一境，以达身心轻安、观照明净的状态。

②存思：用心思索。

③汩汩：象声词。形容水或其他液体流动的声音。

④不得外缘：断绝一切外部干扰。

⑤拉拉然：连续不断的样子。

一通二通乃至日别得三通五通，则身体悦怿[1]，面色光辉，鬓毛润泽，耳目精明，令人食美，气力强健，百病皆去，五年十岁，长存不忘，得满千万通，则去仙[2]不远矣。人身虚无，但有游气，气息得理，即百病不生。若消息失宜，即诸疴竞起。善摄养者，须知调气方焉。调气方疗万病大患，百日生眉须，自余者不足言也。

注

①悦怿：欢乐，愉快。

②去仙：犹言“离仙”，离作神仙。

凡调气之法，夜半后日中前，气生，得调；日中后夜半前，气死[1]，不得调。调气之时则仰卧床，铺厚软，枕高下共身平，舒手展脚，两手握大拇指节，去[2]身四五寸，两脚相去四五寸，数数叩齿，饮玉浆[3]，引气从鼻入腹，足则停止，有力更取。

注

①气死：气息减弱。

②去：距离。

③玉浆：口中所存的唾液。

久住气闷，从口细细吐出尽，还从鼻细细引入。出气一准[1]前法。闭口以心中数数，令耳不闻；恐有误乱，兼以手下筹[2]，能至千，则去仙不远矣。若天阴雾恶风猛寒，勿取气也，但闭之。

若患寒热[3]及卒患痈疽，不问日中，疾患未发前一食间即调，如其不得好瘥，明日依式更调之。

①准：遵循。
②筹：算筹。
③寒热：忽冷忽热，寒热往来。

若患心冷病，气即呼出；若热病，气即吹出。若肺病即嘘出，若肝病即呵出，若脾病即唏出，若肾病即呬出。夜半后，八十一；鸡鸣，七十二；平旦[1]，六十三；日出，五十四；辰时[2]，四十五；巳时，三十六。欲作此法，先左右导引三百六十遍。

①平旦：清晨。
②辰时：早上7点到9点。

病有四种：一冷痹[1]；二气疾[2]；三邪风[3]；

四热毒[④]。若有患者，安心调气，此法无有不瘥也。

凡百病不离五脏，五脏各有八十一种疾，冷热风气计成四百四病，事须识其相类，善以知之。

心脏病者，体冷热。相法：心色赤。患者梦中见人着赤衣，持赤刀杖火来怖人。疗法：用呼吹二气，呼疗冷，吹治热。

注

①冷痹：寒邪伤人，其症为脚膝酸疼，行履艰难，身体俱痛，甚至全身不能动。

②气疾：指呼吸系统疾病。

③邪风：中医学指伤人致病之风。

④热毒：即时毒，一名温毒。

肺脏病者，胸背满胀，四肢烦闷[①]。相法：肺色白。患者喜梦见美女美男，诈亲附人，共相抱持[②]，或作父母、兄弟、妻子。疗法：用嘘气出。

肝脏病者，忧愁不乐，悲思，喜[③]头眼疼痛。相法：肝色青。梦见人着青[4]衣，捉青刀杖，或狮[5]子、虎狼来恐怖人。疗法：用呵气出。

①四肢烦闷：四肢肿胀。

②抱持：搂抱，抱住。

③喜：容易罹患。

④青：黑色。

⑤狮：原作“师”，据元刻本、道藏本、四库本改。

脾脏病者，体上游风习习，遍身痛烦闷。相法：脾色黄，通土色。梦或作小儿击历[1]人、邪犹[2]人，或如旋风团栾转[3]。治法：用唏气出。

肾藏病者，体冷阴衰，面目恶瘘[4]。相法：肾色黑。梦见黑衣及兽物捉刀杖相怖。用呬气出。

①击历：以手指刺人。

②邪犹：同“邪揄”，嘲笑，戏弄。

③团栾转：圆转回旋的样子。

④瘘：山田业广云：“‘瘘’恐‘萎’。”

冷病者，用大[1]呼三十遍，细[2]呼十遍。呼法：鼻中引气入，口中吐气出，当令声相逐，呼字而吐之。

热病者，用大吹五十遍，细吹十遍。吹如吹物之吹，当使字气声似字。

注

①大：用力地。

②细：轻轻地。

肺病者，用大嘘三十遍，细嘘十遍。

肝病者，用大呵三十遍，细呵十遍。

脾病者，用大唏三十遍，细唏十遍。

肾病者，用大呬五十遍，细呬三十遍。

此十二种调气法，若有病，依此法恭敬[1]用心，无有不差[2]。皆须左右导引三百六十遍，然后乃为之。

注

①恭敬：认真仔细地。

②差：通“瘥”，痊愈。

养性

服食法第六（论一首方二十四首）

论曰：凡人春服小续命汤五剂，及诸补散各一剂；夏大热，则服肾沥汤三剂；秋服黄芪[①]等丸一两剂；冬服药酒两三剂，立春日则止。此法终身常[②]尔，则百病不生矣。俗人见浅，但知钩吻[③]之杀人，不信黄精之益寿；但识五谷之疗饥[④]，不知百药之济命；但解施泻以生育，不能秘固[⑤]以颐养。故有服饵方焉。

注

①黄芪：具有益气固表、敛汗固脱、托疮生肌、利水消肿之功效。

②常：保持。

③钩吻：俗称断肠草，有剧毒。

④疗饥：充饥。

⑤秘固：密封，封固，这里指藏精。

郄愔曰：夫欲服食，当寻性理所宜，审[①]冷暖之适。不可见彼得力，我便服之。初御[②]药，皆先草木，次石，是为将药之大较[③]也。所谓精粗相代，阶粗以至精者[④]也。夫人从少至长，体习五谷，卒不可一朝顿遗之。

①审：注意，仔细观察。

②御：用，驾驭。

③大较：大法。

④阶粗以至精者：犹言“从粗至精”。阶，阶梯，此用为动词，从粗走向精。

凡服药物为益迟微，则无充饥之验，然积年不已，方能骨髓填实，五谷俱然而自断。今人多望朝夕之效[①]，求目下之应[②]，腑脏未充，便以绝粒，谷气始除，药未有用。又将御女，形神与俗无别，以此致弊，胡[3]不怪哉！

①朝夕之效：指早上服药晚上见效。

②目下之应：眼前立刻显现的效验。

③胡：副词。表示疑问或反问，相当于“岂”。

服饵大体皆有次第[1]，不知其术[2]者，非止交有所损，卒[3]亦不得其力。故服饵大法，必先去三虫。三虫既去，次服草药；好得药力，次服木药；好得力讫，次服石药。依此次第，及得遂其药性，庶事[4]安稳，可以延龄矣。

①次第：依一定顺序，一个接一个地。

②不知其术：不知道其中的道理。

③卒：最终。

④庶事：古时指各种政务政事。

去三虫方

生地黄汁三斗，东向灶苇火煎三沸，纳清漆二升，以荆匕搅之，日移一尺；纳真丹[①]三两，复移一尺；纳瓜子末三升，复移一尺；纳大黄末三两，微火勿令焦，候[②]之可丸。先食服如梧子大一丸，日三。浊血下鼻中，三十日诸虫皆下，五十日百病愈，面色有光泽。

①真丹：真丹砂。“丹”指丹砂。
②候：等待。

又方：

漆二升　芜菁子三升，末　大黄六两，末　酒一升半

上四味，以微火合煎[①]可丸，先食服如梧子[②]三丸，十日浊血[③]下出鼻中，三十日虫皆烂下，五十日身光泽，一年行及奔马，消息四体安稳，乃可服草药。其余法在三虫篇中备述。

三虫篇在第十八卷中。

注

①合煎：放到一起煎煮。

②梧子：梧桐的果实。

③浊血：浑浊的血液，这里指败坏的血液。

服天门冬方

天门冬，曝干，捣下筛。食后服方寸匕[①]，日三。可至十服，小儿服尤良，与松脂若蜜丸服之益善，惟多弥[②]佳。

① 寸匕：寸匕的容量约为5毫升。

② 弥：更加。

又方：

捣取汁，微火煎，取五斗，下白蜜一斗，胡麻炒末之二升，合煎，搅之勿息[①]，可丸即止[②]火。下大豆黄末和为饼，径三寸，厚半寸。

一服一枚，日三。百日已上得益。此方最上[③]，妙包众方。一法[④]酿酒服，始伤多无苦[⑤]，多即吐去病也。方在第十四卷中。

①息：停止。

②止：原作“上”，据孙真人本、元刻本、道藏本、四库本、后藤本改。

③最上：最好，最佳。

④一法：另外一种方法。

⑤无苦：没有痛苦。

蒯道人[①]年近二百而少。常告皇甫隆云：但取天门冬，去心皮，切，干之。酒服方寸匕，日三，令人不老。补中益气，愈百病也。天门冬生奉高山谷，在东岳名淫羊食[②]，在中岳名天门冬，在西岳名管松，在南岳名百部，在北岳名无不愈，在原陆山阜名颠棘。虽然处处有之异名，其实一也。在北阴地者佳。取细切，烈日干之，久服令人长生，气力百倍。

注

①蒯道人：指道人蒯京，见前文。

②食：山田业广曰："《证类本草》'食'作'藿'。"

治虚劳绝伤，年老衰损羸瘦，偏枯不随，风湿不仁，冷痹，心腹积聚，恶疮、痈疽、肿癞疾，重者周身脓坏，鼻柱败烂，服之皮脱虫出，颜色肥白。此无所不治，亦治阴痿、耳聋、目暗。久服白发黑，齿落生，延年益命，入水不濡。服二百日后，恬泰疾损，拘急者缓，羸劣者强。三百日身轻，三年走及奔马。三年心腹痼疾皆去。

服地黄方[1]

生地五十斤，捣之，绞取汁，澄去滓[2]，微火上煎，减过半，纳白蜜五升，枣脂一升，搅之令相得，可丸乃止。服如鸡子一枚，日三。令人肥白。

注

①服地黄方：孙真人本作“生地黄，主虚劳百病方”。

②绞取汁，澄去滓：挤压生地黄汁液，澄出杂质。

又方：

地黄十斤，细切，以淳酒[1]二斗，渍[2]三宿。出曝干，反复纳[3]之，取酒尽止。与甘草、巴戟天、厚朴、干漆、覆盆子各一斤，捣下筛，食后酒服方寸匕，日三。加至二匕，使人老者还少，强力，无病延年。

注

①淳酒：味浓香郁而纯正的美酒。

②渍：浸，沤。

③纳：收入，放进。

作熟干地黄法

采地黄，去其须、叶及细根，捣绞取汁，以渍肥者[1]，着甑中。土若米无在以盖上，蒸之一时出，曝燥，更内汁中，又蒸，汁尽止，便干之[2]。亦可直切蒸之半日，数以酒洒之使周匝[3]，至夕出，曝干。可捣蜜丸服之。

①肥者：饱满肥大的地黄。

②干之：晒干。

③周匝：环绕一周，围绕，也指周围。

种地黄法

先择好地，黄赤色虚软者，深耕之，腊月逆耕冻地弥好。择肥大好地黄根，切长四五分至一二寸许，一斛可种一亩。二三月种之，作畦畔相去一尺，生后随锄壅，数芸之。至九月、十月，视其叶小衰乃掘取，一亩得二十许斛。

①耕：翻松田土。

②一斛：斛均为容量单位，十斗等于一斛。

③畦畔：田园中分成的小区。

④小衰：微微有些破败。

择取大根，水净洗，其细根，乃剪头尾辈，亦洗取之，日暴令极燥，小䐢[①]，乃以竹刀切，长寸余许，白茅露甑下[②]蒸之，密盖上，亦可囊盛土填[③]之，从旦至暮，当黑，不尽黑者，明日又择取蒸之，先时已捣其细碎者取汁，铜器煎之如薄饴，于是以地黄纳汁中，周匝[④]出，曝干又纳，尽汁止。

①䐢：音 zhù，皱缩。《集韵·遇韵》："䐢，皱也。"
②白茅露甑下：即以白茅覆露甑下。白茅，一种草药。陶弘景曰：茅根服食断谷甚良。露，庇覆，覆露。甑，蒸食炊器。
③填：填塞。《说文·土部》："填，塞也。"
④周匝：此处周匝并非周到、周围、环绕之义，而是满器重咂咂作响的意思。下"匝汁"仿此。

率[①]百斤生者令得一二十斤，取初八月九月中掘者，其根勿令大老强，蒸则不消尽，有筋脉。初以地黄纳甑中时，先用铜器承[②]其下，以好酒淋地黄上，令匝汁后下入器中，取以并和煎汁佳。

注

①率：大约，通常。《古今韵会举要·质韵》：“率，大略也。”

②承：在下面接受，托着。

黄精膏方

黄精一石，去须毛，洗令净洁，打碎蒸，令好熟押[1]得汁，复煎去游水，得一斗。纳干姜末三两，桂心末一两，微火煎之，看色郁郁[2]然欲黄，便去火待冷，盛不津器中，酒五合和，服二合，常未食前，日二服。旧皮脱，颜色变光，花色有异，鬓发更改。欲长服者，不须和酒，纳生大豆黄，绝谷食之，不饥渴，长生不老。

注

①押：即“压”。

②郁郁：色泽暗淡的样子。

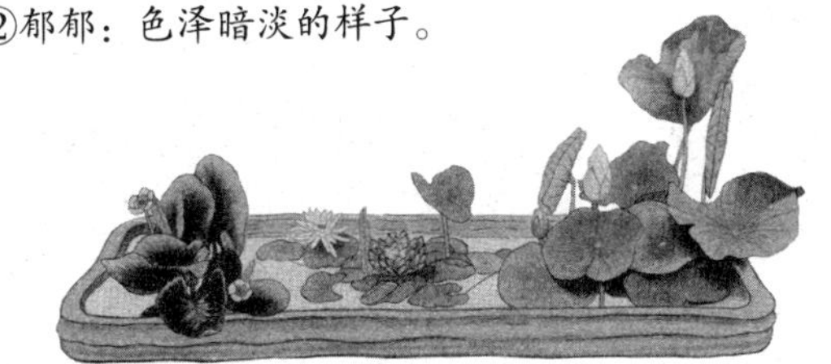

服乌麻法

取黑皮真檀[①]色乌麻，随多少，水拌[②]令润，勿过湿，蒸令气遍，即出下曝之使干，如此九蒸九捣，去上皮，未食前和水若酒服二方寸匕，日三[③]。渐渐不饥，绝谷[④]，久服百病不生，常服延年不老。

注

①真檀：即檀香。檀香原产外邦，音译其名为“旃檀”，讹而为“真檀”。

②拌：搅和。

③日三：一日三次。

④绝谷：断绝进食。

饮[①]松子方

七月七日采松子，过时即落不可得。治服方寸匕，日三四。一云一服三合，百日身轻，三百日行五百里，绝谷，服升仙。渴饮水，亦可和脂[②]服之。若丸如梧桐子大，服十丸。

注

①饮：孙真人本作“饵”。

②脂：孙真人本作“柏脂”。

饵柏实方

柏子仁二升，捣令细，淳酒四升渍，搅之如泥，下[1]白蜜二升，枣膏三升，捣令可丸，入干地黄末、白术末各一升，搅和丸如梧子，日二服，每服三十丸。二十日万病皆愈。

①下：倒入。

服松脂方

百炼松脂下筛，以蜜和纳筒中，勿令中风。日服如博棋[1]一枚，博棋长二寸，方一寸，日三，渐渐月服一斤，不饥延年。亦可淳酒和白蜜如饧[2]，日服一二两至半斤。

注

①博棋：指围棋子。

②饧：糖块、面剂子等变软。

凡取松脂，老松皮自有聚脂者最第一[①]。其根下有伤折处，不见日月者得之，名曰阴脂，弥良。惟衡山东行五百五里有大松，皆三四十围[②]，乃多脂。又法：五月刻大松阳面使向下，二十四株，株[③]可得半升，亦煮。其老节根处者有脂得用。

注

①最第一：最好。

②围：两臂合拢的长度。

③株：每一株。

《仙经》云：常以三月入衡山之阴，取不见日月松脂，炼而饵[①]之，即不召而自来。服之百日，耐寒暑；二百日五脏补益；服之五年，即见西王母。《仙经》又云：诸石所生三百六十五山，其可食者满谷②阴怀中松脂耳。

①饵：食用。
②满谷：整个山谷。

其谷正从衡山岭直东四百八十里，当横捷，正在横岭①，东北行，过其南，入谷五十里，穷穴有石城白鹤。其东方有大石四十余丈，状如白松，松下二丈有小穴，东入山，有丹砂可食；其南方阴②中有大松，大三十余围，有三十余株不见日月，皆可取服之。

①当横捷，正在横岭：捷，音jiàn，义长。捷，连接，接壤。
②阴：不见阳光，亦指不见阳光的地方，山的北面。

采松脂法

以日入时，破其阴以取其膏，破其阳以取

其脂。脂膏等份，食之可以通神灵。凿其阴阳为孔，令方五寸，深五寸，还以皮掩其孔，毋令风入，风入则不可服。以春夏时取之，取讫封塞勿泄，以泥涂之。东北行丹砂穴有阴泉水可饮，此弘农车君以元封[①]元年入北山食松脂，十六年复下居长安东市，在上谷、牛头谷时往来至秦岭上，年常如三十者。

①元封：汉武帝刘彻年号（前 110～前 105）。

炼松脂法

松脂七斤，以桑灰汁一石，煮脂三沸，接置冷水中凝，复煮之，凡十遍，脂白色，可服。今谷在衡州[①]东南攸县[②]界。此松脂与天下松脂不同。

①衡州：地名。隋开皇九年置，治所在今衡阳。
②攸县：地名。西汉置，治所在今湖南攸县北。

饵茯苓方

茯苓十斤去皮，酒渍密封下。十五日出之，取服如博棋，日三。亦可屑①服方寸。凡饵②茯苓，皆汤煮四五沸，或以水渍六七日。

①屑：削成屑末。
②饵：进食。

茯苓酥方

茯苓五斤，灰汁煮十遍，浆水煮十遍，清水煮十遍　松脂五斤，煮如茯苓法，每次煮四十遍生天门冬五斤，去心皮，曝干作末　牛酥三斤，炼三十遍　白蜜三斤，煎令沫尽　蜡三斤，炼三十遍

上六味，各捣筛，以铜器重汤上，先纳酥，次蜡，次蜜，消讫纳药，急搅之勿住，务令大均，纳瓷器中，密封之，勿泄气。

注

①先纳：先放入。

②次：再放入。

③大均：非常均匀。

先一日不食，欲不食先须吃好美食令极饱，然后绝食，即服二两，二十日后服四两，又二十日后八两，细丸之，以咽中下为度。第二度以四两为初，二十日后八两，又二十日二两。第三度服以八两为初，二十日二两，二十日四两，合一百八十日药成，自后服三丸将补，不服亦得恒以酥蜜消息之，美酒服一升为佳。合药须取四时王相日[①]，特[②]忌刑、杀、厌及四激、休废[③]等日，大凶。此彭祖法。

注

①四时王相日：阴阳家以王（旺盛）、相（强壮）、胎（孕育）、没（没落）、死（死亡）、囚（禁锢）、废（废弃）、休（休退）八字与五行、四时、八卦等递相配搭，以表示事物的消长更迭。王日、相日为吉日。

②特："特"下疑脱"忌"字。按古人传抄因两"忌"字相重而误省。两"忌"字于此文义不同，前"忌"

字是“禁忌”之“忌”，是动词；后“忌”字是“忌日”之“忌”，是专用名词。

③忌刑杀厌及四激休废：旧说中的一些忌日。

茯苓膏方《千金翼》名凝灵膏

茯苓净去皮　松脂二十四斤　松子仁　柏子仁各十二斤

上四味，皆依法[①]炼之，松柏仁不炼，捣筛，白蜜二斗四升，纳铜器中汤上[②]，微火煎一日一夕。次第下药，搅令相得，微火煎七日七夜止。丸如小枣，每服七丸，日三。欲绝谷，顿服取饱，即得轻身、明目、不老。此方后一本有茯苓酥、杏仁酥、地黄酥三方，然诸本并无。又《千金翼》中已有[③]，今更不添录。

①依法：依照前面的方法。

②纳铜器中汤上：放入铜制容器盛放的水中。

③《千金翼》中已有：按三酥方见《千金翼》卷十二第二，“地黄酥”作“地黄酒酥”。

服枸杞根方

主养性遐龄。

枸杞根切一石，水一石二斗，煮取六斗，澄清。煎取三升，以小麦一斗，干，净择，纳汁中渍一宿，暴二[①]，往反[②]令汁尽，曝干捣末，酒服方寸匕，日二。一年之中，以二月、八月各合[③]一剂，终身不老。

①暴二：暴晒两天。

②往反：反复浸湿、暴晒。

③合：服用。

枸杞酒方

枸杞根一百二十斤，切。以东流水四石[①]煮一日一夜，取清汁一石，渍曲一如家酝法。熟取清，贮不津器中，纳干地黄末二斤半，桂心、干姜、泽泻、蜀椒末各一升，商陆末二升，以绢[②]袋贮，纳酒底，紧塞口，埋入地三尺，坚覆上。

注

①石：古代市制容量单位，十斗为一石。

②绢：一种薄而坚韧的丝织物。

三七日[1]沐浴整衣冠，再拜，平晓向甲寅地日出处开之，其酒赤如金色。旦空腹服半升，十日万病皆愈，三十日瘢痕灭。恶疾[2]人以水一升，和酒半升，分五服愈。《千金翼》又云：若欲服石者，取河中青白石如枣杏大者二升，以水三升煮一沸，以此酒半合置中，须臾[3]即熟可食。

①三七日：二十一日。

②恶疾：严重的、不容易治好的疾病。

③须臾：表示一段很短的时间，片刻之间。

饵云母水方

疗万病。

上白云母二十斤，薄擘，以露水八斗作汤，分半洮[1]洗云母，如此再过。又取二斗作汤，纳芒硝十斤，以云母木器中渍之，二十日出。绢袋盛，悬屋上，勿使见风日，令燥，以水渍，鹿皮为囊揉挻[2]之，从旦至日中，乃以细绢下筛滓，复揉挻令得好粉五斗，余者弃之。

注

①洮：同“淘”，淘洗。

②揉挻：揉和。挻，音 shān。《广韵·仙韵》：“挻，柔也，和也。”

取粉一斗，纳崖蜜二斤，搅令如粥，纳生竹筒中薄削之，漆固口，埋北垣南岸下，入地六尺覆土。春夏四十日，秋冬三十日，出之，当如泽为成。若洞洞[1]不消者，更埋三十日出之。先取水一合，纳药一合，搅和尽服之，日三。

注

①洞洞：混和而未融合的样子。

水寒温尽自在，服十日，小便当变黄，此

先疗劳气风疹[1]也。二十日腹中寒癖消；三十日龋齿[2]除，更新生；四十日不畏风寒；五十日诸病皆愈，颜色日少，长生神仙。吾目[3]验之，所以述录。

①风疹：由外感风热时邪所引起的一种较轻的皮疹。

②龋齿：俗称虫牙、蛀牙。

③目：元刻本、道藏本、四库本、后藤本并作“自”。

炼钟乳粉法

钟乳一斤，不问厚薄，但取白净光色好者，即任用，非此者不堪用。先泥铁铛可受四五斗者为灶，贮水令满，去口三寸，纳乳着金银瓷盎[1]中任有用之[2]，乃下铛中令水没盎上一寸余即得。常令如此，勿使出水也。

①盎：容器。古代的一种盆，腹大口小。

②任有用之：不限金银瓷器，不论有何器皿皆可随便取用。

微火烧之，日夜不绝，水欲竭即添暖水，每一周时，辄易水洗铛并洮乳，七日七夜出之，净洮干[①]，纳瓷钵中，玉椎缚格[②]，少着水研之，一日一夜，急着水搅令大浊，澄取浊汁，其乳粗者自然着底[③]。作末者即自作浊水出。即经宿澄取其粗著底者，准前法研之，凡五日五夜，皆细逐水作粉，好用澄炼，取曝干，即更于银钵中研之一日，候入肉水洗不落者佳。

注

①乾：山田业广曰："《外台》'乾'作'讫'。"
②玉椎缚格："椎"，捶击的器具，后作"槌"。"缚格"，后捣碎。
③着底：沉到水底。

钟乳散

治虚羸不足，六十以上人瘦弱不能食者，百病方

成炼钟乳粉三两　上党人参　石斛　干姜各三分

上四味，捣下筛，三味与乳合和相得，均

分作九帖[1]，平旦空腹温淳酒服一贴，日午后服一贴，黄昏后服一贴。三日后准此服之[2]。凡服此药法，皆三日一剂。三日内止食[3]一升半饭，一升肉。肉及饭惟烂，不得服葱、豉。

注

①九帖：九份。
②准此服之：依照这个方法服用。
③止食：只吃。

问曰：何故三日少食勿得饱也？答曰：三夜乳在腹中熏补[1]脏腑，若此饱食，即推药出腹[2]，所以不得饱食也。何故不得生食？由食生，故即损伤药力，药力既损，脂肪亦伤，所以不得食生食也。何故不得食葱、豉？葱、豉杀药，故不得食也。

注

①熏补：熏蒸滋补。
②推药出腹：食物把药物从腹中推出。

三日服药既尽，三日内须作羹食补之，任意所便，仍不用葱、豉及硬食也。三日补讫，还须准式[1]服药如前，尽此一斤乳讫，其气力当自知耳，不能具述。一得此法，其后服十斤、二十斤，任意方便可知也。

①准式：依照前面的法式。

西岳真人灵飞散方

云母粉一斤　茯苓八两　钟乳粉　柏子仁　人参《千金翼》作白术　续断　桂心各七两　菊花十五两　干地黄十二两

上九味，为末，生天门冬十九斤，取汁溲[1]药，纳铜器中蒸一石二斗黍米下，米熟曝干为末。先食饮服方寸匕，日一。三日力倍[2]，五日血脉充盛，七日身轻，十日面色悦泽，十五日行及奔马，三十日夜视有光，七十日白发尽落，故齿皆去。更取二十一匕，白蜜和，捣二百杵，丸如梧子大。作八十一枚，曝干，丸皆映彻如水精[3]珠。

注

①溲：浸泡。

②力倍：力量增加。

③精："精"，通"晶"。

欲令发齿时生者吞七枚，日三，即出。发未白、齿不落者，但服散五百年[1]乃白，如前法服。已白者饵药至七百年[2]乃落。入山日吞七丸，绝谷不饥。余得此方已来，将逾三纪，顷[3]者但美而悦之，疑而未敢措手，积年询访，屡有好名人曾饵得力，遂服之，一如方说。但能业之不已，功不徒弃耳。

①但服散五百年：孙真人本作"且服散五日"。

②七百年：孙真人本作"七年"。

③顷：顷刻间。

养性

黄帝杂忌法第七

旦起勿开目洗面，令人目涩失明、饶[①]泪；清旦[②]常言善事，勿恶言，闻恶事即向所来方三唾之，吉；又勿嗔怒，勿叱咤咄呼，勿嗟叹，勿唱奈何，名曰请祸；勿立膝坐而交臂膝上，勿令发覆面，皆不祥；勿举足向火，勿对灶骂詈，凡行、立、坐勿背日，吉；勿面北坐久思，不祥起；凡欲行来，常存[③]魁纲[④]在头上，所向皆吉；若欲征战，存斗柄[⑤]在前以指敌，吉。

注

①饶：多。

②清旦：清晨。
③存：思。
④魁纲：指北斗七星之斗魁与天罡二星。
⑤斗柄：指北斗七星中玉衡、开阳、摇光三星。

勿面北冠带，凶；勿向西北唾，犯魁纲神，凶；勿咳唾，唾不用远，成肺病，令人手足重及背痛、咳嗽；亦勿向西北大小便；勿杀龟蛇，勿怒目视日月，喜令人失明；行及乘马不用回顾，则神去人不用[①]，鬼行踖粟[②]。

①则神去人不用：回顾能使神魄离去而肢体失去活动能力。
②踖粟：踖，音jí。惶惧不安的样子。

凡过神庙，慎勿辄入，入必恭敬，不得举目恣意[①]顾瞻，当如对严君[②]焉，乃享其福耳，不尔速获其祸；亦不得返首顾视神庙；忽见龙蛇，勿兴心惊怪，亦勿注意瞻视。忽见鬼怪变异之物，即强抑之勿怪。咒曰：见怪不怪，其

怪自坏。又路行及众中见殊[③]妙美女，慎勿熟视而爱之，此当魑魅[④]之物，使人深爱，无问空山旷野、稠人广众之中，皆亦如之。

注

①恣意：随意。
②严君：指父母。
③殊：《医心方》卷二十七第十一引作“姝”。“姝”“妙”同义复用。
④魑魅：鬼怪之物。

凡山水有沙虱处，勿在中浴，害人；欲渡者，随驴马后急渡，不伤人；有水弩[①]处射人影即死，欲渡水者，以物打水，其弩即散，急渡，不伤人；诸山有孔[②]云入，采宝者惟三月九月，余月山闭气交[③]，死也。凡人空腹不用见，尸臭气入鼻，舌上白起，口常臭；欲见尸者，皆须饮酒见之，能辟毒；远行触热，途中逢河勿洗面，生乌皯[④]。

注

①水弩：即“射工”，传说中可以射人影而致人生病的虫。又名“蜮”。

②孔：洞穴。《尔雅·释诂下》："孔，间也。"邢昺疏："孔者，穴也。"

③山闭气交：山气闭塞交合不通。指洞穴中产生毒气不能流通排泄。

④乌黚：面部有黑气。

养性

房中补益第八

论曰：人年四十以下多有放恣[1]，四十以上即顿觉[2]气力一时衰退，衰退既至，众病蜂起[3]。久而不治，遂至不救[4]。所以彭祖曰：以人疗人，真得其真。故年至四十，须识房中之术。

注

①放恣：放纵任性。

②顿觉：马上感觉。

③众病蜂起：很多病一起到来。

④遂至不救：最终到达无法救治的地步。

夫房中术者，其道甚近，而人莫能行。其法，一夜御十女，闭固[①]而已，此房中之术毕矣。兼之药饵，四时勿绝[②]，则气力百倍，而智慧日新。然此方之作也，非欲务于淫佚[③]，苟求快意，务存节欲，以广养生也。非苟欲强身力，幸女色以纵情，意在补益以遣疾也，此房中之微旨也。是以人年四十以下，即服房中之药者，皆所以速祸，慎之慎之！

①闭固：封闭精关而不泄。

②四时勿绝：一年四季都不间断。

③淫佚：恣纵逸乐。

故年未满四十者，不足与论房中之事，贪心未止，兼饵补药，倍力行房，不过半年，精髓枯竭，惟向[①]死近。少年极须慎之。人年四十以上，常服炼乳散不绝，可以不老。又饵云母，足以愈疾延年[②]；人年四十以上，勿服泻药，常饵补药大佳。昔黄帝御女一千二百而登仙，而俗人以一女伐命[③]，知与不知，岂不远矣？

其知道者[4]，御女苦不多耳。

注

①向：临。

②愈疾延年：治愈疾病，增加寿命。

③伐命：损害性命。

④其知道者：犹言通晓房中之术者。

凡妇人不必须有颜色妍丽[1]，但得少年未经生乳，多肌肉，益也。若足财力，选取细发，目精黑白分明，体柔骨软，肌肤细滑，言语声音和调，四肢骨节皆欲足肉，而骨不大，其阴及腋皆不欲有毛，有毛当软细，不可极于相者。但蓬头蝇面[2]，槌[3]项结喉，雄声大口，高鼻麦齿，目精浑浊，口颔有毛，骨节高大，发黄少肉，隐毛[4]多而且强，又生逆毛，与之交会，皆贼命损寿也。

注

①妍丽：美丽，艳丽。

②蝇面：面部黑斑。

③槌：颈椎。

④隐毛：即阴毛。

凡御女之道，不欲令气未感动，阳气微弱即以交合[1]。必须先徐徐[2]嬉戏，使神和意感良久，乃可令得阴气，阴气推之，须臾自强，所谓弱而内迎，坚急出之，进退欲令疏迟，情动而止；不可高自投掷，颠倒五脏，伤绝精脉，生致百病。但数交而慎密[3]者，诸病皆愈，年寿日益，去[4]仙不远矣，不必九一三五之数也。

①阳气微弱即以交合：阳气还衰弱的时候就进行房事。

②徐徐：慢慢地。

③慎密：孙真人本作“勿泄”。“慎密”即指不轻泄。

④去：距离。

能百接而不施泻者，长生矣。若御女多者，可采气[1]。采气之道，但深接勿动[2]，使良久气上面热，以口相当引取女气而吞之，可疏疏[3]进退，意动便止，缓息眠目[4]，偃卧导引，身

体更强，可复御他女也。数数易女，则得益多，人常御一女，阴气转弱，为益亦少。

①采气：采纳精气。

②但深接勿动：只要深深接触，不要有动作。

③疏疏：稍稍。

④眠目：闭目。

阳道法[1]火，阴家法水，水能制火，阴亦消阳，久用不止，阴气逾[2]阳，阳则转损，所得不补所失。但能御十二女而不复施泻者，令人不老，有美色；若御九十三女而自固[3]者，年万岁矣。

注

①法：仿效。

②逾：超过。

③固：闭固，不泄。

凡精少则病，精尽则死，不可不思[1]，不可不慎。数交而一泻，精气随长，不能使人虚也。若不数交，交而即泻，则不得益，泻之精气自然生长，但迟微[2]，不如数交接不泻之速也。

①不可不思：不得不思考。

②迟微：缓慢微少。

凡人习交合之时，常以鼻多纳气，口微吐气，自然益矣。交会毕蒸热，是得气也。以菖蒲末三分、白粱粉敷摩令燥，既使强盛，又湿疮[1]不生也。凡欲施泻者，当闭口张目，闭气，握固两手，左右上下缩鼻取气，又缩下部及吸腹，小偃脊膂，急以左手中两指抑屏翳[2]穴，长吐气并琢齿[3]千遍，则精上补脑，使人长生。若精妄出，则损神也。

①湿疮：是一种由多种内外因素引起的过敏性炎症性皮肤病。以多形性皮损、对称分布、易于渗出、自觉瘙痒为主要临床表现。

②屏翳：会阴穴的别名。

③琢齿：叩齿。

《仙经》曰：令人长生不老，先与女戏，饮玉浆。玉浆，口中津也。使男女感动[1]，以左手握持，思存丹田[2]，中有赤气，内黄外白，变为日月。徘徊丹田中，俱入泥垣[3]，两半合成一因。闭气深纳勿出入，但上下徐徐咽气，情动欲出，急退之。此非上士有智者不能行也。其丹田在脐下三寸；泥垣者在头中对两目直入内，思作日月想，合径三寸许。

注

①感动：产生感觉。

②丹田：腹部脐下的阴交、气海、石门、关元四个穴位都别称“丹田”。

③泥垣：即“泥丸”。道家术语，指脑神。

两半放形而一，谓日月相擒[1]者也。虽出入仍思念所作者勿废，佳也。又曰：男女俱仙[2]之道，深内勿动精，思脐中赤色大如鸡子形，乃徐徐出入，情动乃退，一日一夕可数十为定，令人益寿。男女各息意共存思之，可猛念之。

①揄：同“摀”，打，引申指推移。《易·系辞下》：“日往则月来，月往则日来，日月相推而明生焉。”

②俱仙：一起成仙。

御女之法，能一月再[1]泄，一岁二十四泄，皆得二百岁，有颜色，无疾病。若加以药[2]，则可长生也。人年二十者，四日一泄；三十者，八日一泄；四十者，十六日一泄；五十者，二十日一泄；六十者，闭精勿泄，若体力犹壮者，一月一泄。凡人气力自有强盛过人者，亦不可抑忍，久而不泄，致生痈疽。若年过六十，而有数旬不得交合，意中平平者，自可闭固也。

①再：两次。

②若加以药：如果加上药物调理。

昔贞观[1]初，有一野老，年七十余，诣余曰：

数日[②]来阳气益盛，思与家妪昼寝，春事皆成。未知垂老有此，为善恶耶？余答之曰：是大不祥，子独不闻膏火[③]乎？夫膏火之将竭也，必先暗而后明，明止则灭。今足下年迈桑榆[④]，久当闭精息欲。兹忽春情猛发，岂非反常耶？窃谓足下忧之，子其勉欤[⑤]！后四旬发病而死，此其不慎之效也。如斯之辈非一，且疏一人，以勖[⑥]将来耳。

注

①贞观：唐太宗李世民年号（627~649）。

②数日：孙真人本作“近数十余日”。

③膏火：指油灯。

④桑榆：日落时光照桑榆树端，因以指日暮，比喻晚年、垂老之年。

⑤子其勉欤：希望您一定注意啊！其，希望。表示祈使语气。

⑥勖：音 xù，劝勉。《说文·力部》：“勖，勉也。”

所以善摄生者，凡觉阳事辄盛，必谨而抑之，不可纵心竭意以自贼也。若一度制得，则一度火灭，一度增油；若不能制，纵情施泻，即是膏火[1]将灭，更去其油，可不深自防！所患人少年时不知道[2]，知道亦不能信行之，至老乃知道，便已晚矣。病难养也，晚而自保，犹得延年益寿；若年少壮而能行道者，神仙速矣。

①膏火：照明用的油火。

②知道：不知道其中的道理。

或曰：年未六十[1]，当闭精守一，为可尔否？曰：不然。男不可无女，女不可无男。无女则意动，意动则神劳，神劳则损寿。若念真正无可思者，则大佳，长生也。然而万无一有，强抑郁闭之，难持易失，使人漏精尿浊，以致鬼交之病，损一而当百也。其服食药物，见第二十卷中。

①年未六十：孙真人本作“素闻人年六十”。

御女之法：交会者当避丙丁日，及弦望晦朔、大风大雨大雾、大寒大暑、雷电霹雳、天地晦冥、日月薄蚀[①]、虹霓地动，若御女者，则损人神，不吉。损男百倍，令女得病，有子必癫痴顽愚，喑哑聋聩，挛跛[②]盲眇[③]，多病短寿，不孝不仁。又避日月星辰、火光之下、神庙佛寺之中、井灶圊厕之侧、冢墓尸柩之旁，皆悉不可。

①日月薄蚀：即日食、月食。
②跛：腿或脚有病，走路时身体不平衡。
③眇：瞎了一只眼，后亦指两眼俱瞎。

夫交合如法，则有福德，大智善人降托胎中，仍令性行调顺，所作和合，家道日隆，祥瑞竞集；若不如法，则有薄福、愚痴、恶人来托胎中，仍令父母性行凶险，所作不成，家道日否[①]，殃咎屡至。虽生成长，家国灭亡。夫祸福之应，有如影响[②]，此乃必然之理，可不再思之！

注

①否：穷困，不顺。

②影响：影子和声响。

若欲求子者，但待妇人月经绝后[1]一日、三日、五日，择其王相日及月宿在贵宿日，以生气时[2]夜半后乃施泻，有子皆男，必寿而贤明高爵也。以月经绝后二日、四日、六日施泻，有子必女。过六日后勿得施泻，既不得子，亦不成人。

①经绝后：月经过后。

②生气时：子时后阳气生。

王相日：

春甲乙，夏丙丁，秋庚辛，冬壬癸。

月宿日：

正月：一日、六日、九日、十日、十一日、十二日、十四日、二十一日、二十四日、二十九日。

二月：四日、七日、八日、九日、十日、十二日、十四日、十九日、二十二日、二十七日。

三月：一日、二日、五日、六日、七日、八日、十日、十七日、二十日、二十五日。

四月：三日、四日、五日、六日、八日、十日、十五日、十八日、二十二日、二十八日。

五月：一日、二日、三日、四日、五日、六日、十二日、十五日、二十日、二十五日、二十八日、二十九日、三十日。

六月：一日、三日、十日、十三日、十八日、二十三日、二十六日、二十七日、二十八日、二十九日。

七月：一日、八日、十一日、十六日、二十一日、二十四日、二十五日、二十六日、二十七日、二十九日。

八月：五日、八日、十日、十三日、十八日、二十一日、二十二日、二十三日、二十四日、二十五日、二十六日。

九月：三日、六日、十一日、十六日、十九日、二十日、二十一日、二十二日、二十四日。

十月：一日、四日、九日、十日、十四日、十七日、十八日、十九日、二十日、二十二日、二十三日、二十九日。

十一月：一日、六日、十一日、十四日、十五日、十六日、十七日、十九日、二十六日、二十九日。

十二月：四日、九日、十二日、十三日、十四日、十五日、十七日、二十四日。

若合，春甲寅乙卯、夏丙午巳、秋庚申辛酉、冬壬子癸亥。与此上件月宿日合者尤益[①]。

注

①尤益：更好。

黄帝杂禁忌法曰：人有所怒，血气未定，因以交合，令人发痈疽。又不可忍小便交合，使人淋，茎中痛，面失血色。及远行疲乏来入房，为五劳虚损，少子；且妇人月事未绝，而与交合，令人成病，得白驳[①]也。水银不可近阴，令人消缩[②]；鹿、猪二脂不可近阴，令阴痿不起。

①白驳：其状斑驳如癣。

②消缩：消瘦萎缩。

备急千金要方